U0102587

瓷器 ②

中国嘉德古董拍卖图鉴

ZHONGGUO JIANDE GUDONG PAIMAI TUJIAN

GUARDIAN

湖北美术出版社

图书在版编目(CIP)数据

中国嘉德古董拍卖图鉴．瓷器．2/ 湖北美术出版社编．- 武汉：湖北美术出版社，2006.12

ISBN 7-5394-1939-3

Ⅰ．中... Ⅱ．湖... Ⅲ．①历史文物 - 拍卖 - 价格 - 中国 -2006- 图集②瓷器（考古）- 拍卖 - 价格 - 中国 -2006- 图集 Ⅳ.F724.787-64

中国版本图书馆 CIP 数据核字（2006）第 150606 号

中国嘉德古董拍卖图鉴·瓷器（二）

出版发行：湖北美术出版社
责任编辑：袁　飞
装帧设计：姚　明
地址：武汉市雄楚大街 268 号 C 座
电话：(027) 87679522　87679520　87679521
传真：(027) 87679523
邮政编码：430070
制版：杭州开源数码设备有限公司
印刷：杭州富阳美术印刷有限公司
开本：787 × 1092　1/16
印张：10
版次：2006 年 12 月第 1 版　2006 年 12 月第 1 次印刷
ISBN　7-5394-1939-3
定价：80.00 元

南宋 龙泉窑弦纹盘口瓶
估 价：RMB 180,000-280,000
成交价：RMB 198,000
尺 寸：高 61.5 cm
2006.6.3 1779

盘口，长颈，垂腹，圈足，瓶形秀美挺拔。通体施青釉，釉质凝厚。在颈部、肩部及腹部分别突起弦纹，使整体更显生动。是一件较为难得的宋代龙泉窑陈设器。配日本包装。

清道光 斗彩忍冬纹小碗
估　价：RMB 20,000-30,000
成交价：RMB 82,500
尺　寸：10.2 cm
2006.6.3　1776

“大清道光年制”六字三行篆书款，道光本朝。碗心与外壁绘以斗彩忍冬纹，忍冬纹是古代瓷器上常见的装饰纹样，是“金银花”的变形图案，具有延年益寿吉祥的含义。

清道光 斗彩灵仙祝寿杯
估　价：RMB 35,000-55,000
成交价：RMB 49,500
尺　寸：9 cm
2006.6.3　1777

“大清道光年制”六字三行篆书款，道光本朝。敞口小杯，深腹圈足。白釉微微泛青，杯心绘斗彩水仙、海棠花，外壁满绘水仙、灵芝、海棠，蕴含“群仙祝寿”之美意，淡绿彩描绘水仙，青花绘洞石，矾红点缀花朵，色彩雅致。

清光绪 斗彩花鸟纹玉壶春瓶

估　价：RMB 80,000-120,000

成交价：RMB 115,500

尺　寸：28.8 cm

2006.6.3　1778

“大清光绪年制”六字二行楷书款，光绪本朝。撇口，细颈，鼓腹，圈足。外壁以斗彩描金装饰，腹部主体为传统的玉壶春瓶纹饰，以青花绘竹、石、芭蕉，巧妙地在青花留白处增加了粉彩绶带鸟、仙鹤等；颈部以黄彩填饰在青花缠枝纹周围，蕉叶、羽翼等处运用描金技法，更增添了整体的装饰感。底部落“大清光绪年制”青花款。

青花玉壶春瓶在元代已有制作，清代各朝多有仿制，器形大致相仿，以雍正、乾隆两朝作品制作最为精美。而此件玉壶春瓶，在乾隆朝已有出现，图案为婴戏图，而依据传统竹石芭蕉图案进行斗彩描金装饰的仅见光绪一朝。

清康熙　五彩四妃十六子图盖罐
估　价：RMB 100,000-150,000
成交价：RMB 275,000
尺　寸：高 36 cm
2006.6.3　1868

短颈，丰肩，腹下渐收，配有宝珠钮形盖。通体及盖绘五彩四妃十六子游戏图，四名妃子带领十六名天真烂漫的孩童在庭院中尽情的游玩，或对弈、或抚琴、或放风筝，人物神态生动，绘画细腻精致，色彩浓艳丰富，是康熙民窑中的佳品。配日本包装。

清康熙 五彩瑞果纹罐
估　价：RMB 12,000-18,000
成交价：RMB 33,000
尺　寸：高 18.5 cm
2006.6.3　1869

唇口，短颈，长腹内敛，圈足外撇，器形小巧端庄。通体五彩装饰，颈部饰蕉叶纹一周，肩部饰几何纹，腹部绘瑞果纹，主要运用红、绿、黄等色彩，色彩艳丽，对比强烈。

清康熙 洒蓝釉五彩人物图棒槌瓶
估　价：RMB 80,000-120,000
成交价：RMB 143,000
尺　寸：高 48 cm
2006.6.3　1870

器形挺拔，以洒蓝釉为地，加以金彩、矾红彩与五彩装饰，颜色鲜艳夺目。颈部绘金彩万寿纹，肩部绘金彩锦地开光八宝纹，腹部於金彩缠枝花卉纹地上书写矾红彩“福”、“寿”二字，字中开光，分绘麻姑献寿与三星献寿图，绘画生动，寓意吉祥。

清康熙 五彩龙凤纹碗
估 价：RMB 120,000-180,000
成交价：RMB 132,000
尺 寸：直径 13.1 cm
2005.5.15 1966

“大清康熙年制”六字二行楷书款，康熙本朝。敞口，弧腹，圈足。碗心绘五彩赶珠龙纹，外壁口沿绘八吉祥纹一周，腹部绘五彩龙凤穿花图案，绘画工整，色彩浓艳。五彩龙凤碗是康熙朝始烧，清代官窑的传统品种。

清康熙 五彩人物笔筒
估 价：RMB 60,000-80,000
成交价：RMB 66,000
尺 寸：高 15.5 cm
2005.5.15 1968

笔筒形制规整，外壁通景绘才子佳人图，庭院之中散摆着石桌、几凳、蕉叶洞石，人物神态生动，绘画流畅，色彩浓艳。

清康熙 五彩人物笔筒
估 价：RMB 120,000-180,000
成交价：RMB 154,000
尺 寸：高 15.3 cm
2005.5.15 1967

笔筒形制规整，胎质缜密，白釉滋润，玉璧底。外壁绘五彩双娘教子图，人物构图顶天立地，服饰色彩丰富，绘画工艺精湛，是康熙一朝五彩人物笔筒中的精品，保存之完好，工艺之精美，在传世品中十分罕见。

清乾隆　五彩仕女图盘
估　价：RMB 25,000-35,000
成交价：RMB 33,000
尺　寸：直径 22.7 cm
2005.5.15　1972

盘折沿，浅腹，圈足，以五彩为饰。盘沿上绘锦地花朵纹一周，盘心绘庭园仕女戏六字二此盘胎薄体轻，人物描画生动逼真。

清　　五彩人物棒槌瓶
估　价：RMB 60,000-80,000
尺　寸：高 46.2 cm
2005.5.15　1973

洗口，束颈，折肩，腹部渐收。颈部绘花卉竹石装饰，腹部通体绘五彩人物故事图，人物生动，色彩艳丽。纹饰古朴典雅“大明成

清康熙 五彩锦鸡纹罐
估　价：RMB 60,000-80,000
成交价：RMB 231,000
尺　寸：高 29.3 cm
2005.5.15　1970

短口，丰肩，腹下渐收，器形壮硕。颈部绘一周红绿彩蕉叶纹，颈部绘几何纹饰，罐身通体绘五彩山石锦鸡牡丹图，绘画生动，主要运用红、绿、黄三种色彩，构图丰满，层次清晰，色调浓艳。

清康熙 五彩麒麟博古图大盘
估　价：RMB 40,000-60,000
尺　寸：直径 39 cm
2005.5.15　1971

敞口，浅腹，圈足，盘形周正。内壁口沿一周绘六组锦地开光花卉边饰，盘心绘五彩麒麟瑞兽博古图，周围衬以蜜蜂小鸟，色彩浓艳，为康熙仿明万历风格的瓷器。口有伤。

清雍正 斗彩海屋添筹图盘
估 价：RMB 700,000-900,000
成交价：RMB 1,045,000
尺 寸：直径 21 cm
2005.5.15 1976

“大清雍正年制”六字二行楷书款，雍正本朝。六字二行楷外绘五彩色青花与红、绘海屋年制”，仙山楼阁，仙鹤填筹，福禄寿三星，寓“祝福长寿”之意，外壁绘蝙蝠、内、、灵此为海水纹。胎质细腻，釉质温润，画工精美，色彩典雅，如此精美细致极为难得。斗彩瓷因为烧制工艺复杂，烧成难度较大。通常烧制图案化纹饰，人物图案因画工、填彩难度大，故生产盘十分有限，得以完整传世极为难得。查阅国内博物馆资料，天津艺术博物馆收藏有同样藏品。

清乾隆 斗彩团花马蹄碗
估 价：RMB 50,000-70,000
成交价：RMB 60,500
尺 寸：直径 15.3 cm
2005.5.15 1977

“大清乾隆年制”六字三行篆书口沿气势凶猛，敞口，平底，斗笠式碗。外壁绘斗，外壁以斗彩绘团彩丰富。画工精细，色彩淡雅。为乾隆朝官窑斗彩瓷器的标准器。

清乾隆 斗彩团花马蹄碗
估 价：RMB 20,000-30,000
尺 寸： 15.5 cm
2005.5.15 1978

“大清乾隆年制”六字三行篆书款，乾隆本朝。敞口，平底，斗笠式碗。内壁素白，外壁以斗彩绘团花纹碗，画工精细，色彩淡雅。有冲。

清道光 斗彩缠枝花卉纹碗
估　价：RMB 50,000-70,000
成交价：RMB 88,000
尺　寸：直径 12.2 cm
2005.5.15　1980

“大清道光年制”六字三行篆书款，道光本朝。碗敞口，圆腹，小圈足。里外以斗彩为饰，碗心绘折枝莲花一组，外壁绘折枝并蒂莲三组，画面构图得当，疏密有序，纹饰吉祥，寓意“幸福美满”。足内有青花篆书“大清道光年制”六字款。

清道光 斗彩花卉纹碗
估　价：RMB 35,000-55,000
成交价：RMB 49,500
尺　寸：直径 14.5 cm
2005.5.15　1981

“大清道光年制”六字三行篆书款，道光本朝。碗形周正，内施白釉，外口沿及足部以青花绘两周弦纹，外壁以斗彩绘缠枝宝相花纹，近足处绘如意云纹，绘工精细，色彩丰富华贵，为清代斗彩标准器。

著录：《Christie's》HK.15 December,1980,lot.50。

清道光 斗彩缠枝花卉纹碗一对
估 价: RMB 120,000-180,000 (2)
成交价: RMB 132,000 (2)
尺 寸: 直径 15 cm
2005.5.15 1982

"大清道光年制"六字三行篆书款，道光本朝。敞口，圆腹，圈足。碗心于贯套花卉纹中绘团菊纹装饰，外壁绘簇菊纹与福寿纹饰，纹饰布局紧凑，色彩丰富艳丽，绘制工艺精湛，是清代官窑斗彩器的代表作，成对完好存世较为难得。

著录：《Sotheby's》HK.October1993,lot.153。

元 青花龙纹梅瓶一对
估 价：RMB 2,200,000-3,200,000
尺 寸：高 31.8 cm
2005.5.15　1983

瓶唇口，短颈，丰肩，圆腹渐收，宽圈足，露胎无釉，足边有火石红。通体以青花画云龙纹图案，龙颈细长，小头硕身，张牙舞爪，形态生动，是典型的元青花龙纹风格，青花浓艳，缘及胎骨，釉为卵青色釉。有残。

明永乐 青花莲瓣花卉纹碗
估　价：RMB 1,200,000-1,800,000
成交价：RMB 1,760,000
尺　寸：**直径** 10 cm
2005.5.15　1984

菊瓣碗是永乐时期具有代表性的器物，有大小两种，此为小者。菊瓣有空心和实心两种，此为空心菊瓣。造型秀巧，圈足较高，底心出脐，又名“鸡心碗”。足内施白釉。碗外口及足墙各绘边饰一周，外壁饰空心莲瓣，间以贯套石榴纹；里口饰卷枝纹，碗心绘四瓣花纹，外围以简化回纹，花纹独特，为永乐时期独有。该碗胎质洁白缜密，釉色白中闪青。青花浓艳浅淡变化自然，并深入胎骨，为永乐时期官窑精品，极为少见。此碗为天津藏家旧藏，原为两只，另一只在本公司1999年春季拍卖会中以99万元成交。
参阅：北京故宫博物院《明初青花瓷·上册》，图64。

明永乐 青花牡丹纹菱口盘
估　价：RMB 800,000-1,200,000
成交价：RMB 880,000
尺　寸：直径 20 cm
2005.5.15　1985

折沿，菱花形口，浅弧壁，圈足，器形端庄秀巧。胎质细腻，釉色肥厚莹润，底部涩胎无釉。盘心于双层八瓣菱花形开光内绘折枝牡丹纹，弧壁内外均以折枝花卉纹装饰，口沿绘一周缠枝灵芝纹。青花呈色亮丽，发色纯正，纹饰层次分明，所绘花卉亦自然生动。此盘原为著名收藏家仇炎之旧藏，并配有原包装盒，题签“明永乐窑青花灵芝边牡丹菱花口盆子二十八号”“抗希斋藏”印，盒盖内印有“仇氏抗希斋珍藏之印”，流传有序，极为珍稀。边沿小崩。

明永乐 青花缠枝花纹大盘

估 价：RMB 1,600,000-2,600,000

尺 寸：直径 38 cm

2005.5.15 1986

敞口微敛，浅弧形壁，平底浅圈足。形制规整硕大，胎骨坚硬洁白，圈足底部露胎处细腻润滑，釉质晶莹肥厚。盘心满绘缠枝莲纹，弧壁绘缠枝牡丹、莲花、菊纹及海水浪花纹一周，纹饰清新流畅，青花发色浓艳，是难得的永乐青花佳器。此盘为日本旧包装，盒盖墨书："古渡唐烧，唐草浅黄染付肴钵。中山本家。"请教日本行家，古渡专指江户早期（明晚期）从中国运到日本的物品。浅黄则是指较欧洲青花发色灰暗而言的最好颜色。中山本家为日本关西著名的地主家族，兼营海产生意，江户中期达到鼎盛，中山家族亦以收藏中国古董闻名。盖内墨书："明治廿八年十一月于长崎求。"即公元1895求购于长崎。此盒墨书见证了中国古董在日本的流传与重视。

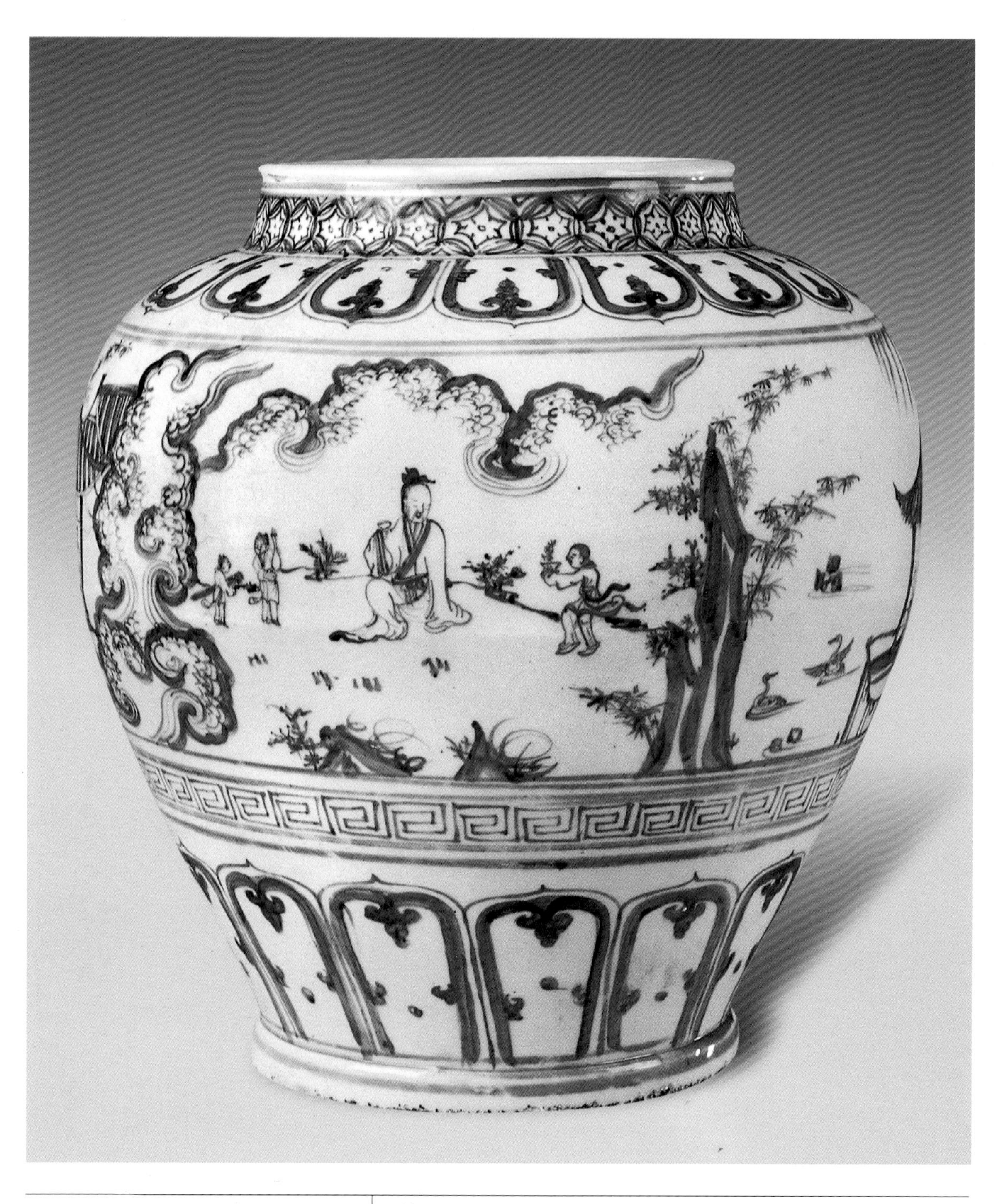

明宣德 青花人物大罐
估 价：RMB 300,000-500,000
成交价：RMB 539,000
尺 寸：高 39 cm
2005.5.15 1988

此罐唇口短颈，圆肩鼓腹，宽圈足。罐形硕大周正。罐身以青花为饰，腹部主题图案绘携琴访友高士图。青花绘亭台楼阁，远山近水，花草树木，一高士端坐其间，童子或捧花，或抱琴，人物神态生动，景致古雅。上下分别饰以朵花、回纹、变形莲瓣等边饰。画面纹饰精美，笔轻线细，色彩淡雅，釉面光亮，画意生动。为宣德时期大罐之精品，极为少见。罐内密缝，口有冲。
著录：《Sotheby's》 HK.31 October,1995,lot.371。

清乾隆 青花缠枝花纹铺首尊
估　价：RMB 150,000-200,000
成交价：RMB 308,000
尺　寸：高 25.8 cm
2006.6.3　1805

“大清乾隆年制”六字三行篆书款，乾隆本朝敞口束颈，丰肩鼓腹，肩饰双铺首衔环耳，圈足外撇，整体仿青铜尊造型。口沿饰海水纹，颈部饰蕉叶纹，腹部绘折枝花卉两周，胫部亦绘海水纹，足部绘一周莲瓣纹。青花色泽浓艳，绘画细腻。

铺兽是古建筑门上的衔环兽面，兽面口中衔一环，称“铺首衔环”。是由青铜器肩部装饰的衔耳环兽演化而来。

明成化 青花狮子绣球纹碗
估 价： RMB 1,500,000-2,000,000
成交价： RMB 2,310,000
尺 寸： 直径 19 cm
2005.5.15 1990

碗为深腹，口微撇，腹部弧线饱满，浅圈足，底满釉。碗外壁绘两组狮子戏绣球，狮子分居绣球两侧，呈上下俯仰相迎之态。即先以细笔勾勒狮子毛发外形，再以分水填色，渲染出筋骨肌肉，简练而生动，为典型成化技法。双目为圆形，中心处点睛留白较多，与成化器龙纹点睛法一致。碗沿绘双边线，足缘绘双边线，且靠近足根的下线颜色较重，上边的一条则显清淡。此亦为成化青花器的一个重要特点。碗底心双圈内绘一立狮，后足踏一小绣球，憨态可掬。釉面平滑莹润，整体釉色为牙白，莹光透视呈肉色，观之似美玉，抚之如凝脂，而底釉泛出的自然闪黄也是成化器独有的特征。青花呈色清雅。台北故宫的宫廷旧藏中与景德镇明代御窑厂遗址中均有成化无款瓷器精品传世和出土。此碗虽无款识，但其造型、纹饰、胎釉制作均作风严谨，格调沉静高穆，与成化官窑如出一辙。

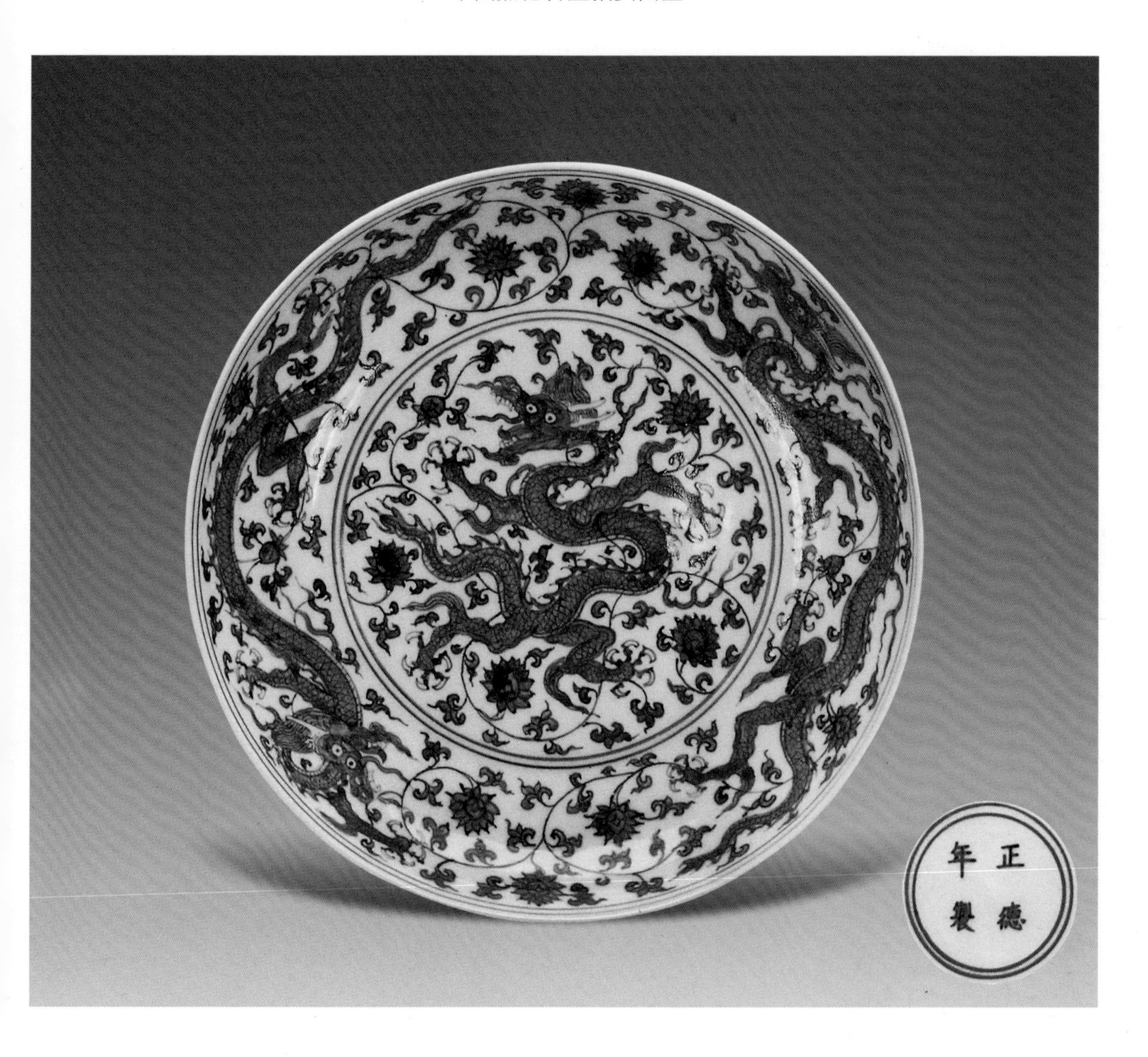

明正德 青花龙纹盘

估　价：RMB 160,000-220,000

成交价：RMB 198,000

尺　寸：直径 23.4cm

2005.5.15　1992

“正德年制”四字二行楷书款，正德本朝。盘敞口，浅弧壁，圈足。以青花为饰，里外均绘龙穿花纹饰。此器为正德朝典型的官窑作品，釉面莹润，白中闪青。以龙穿花为饰，最早见于永乐朝，正德时期最为流行，足内有青花双圈“正德年制”四字楷书款。小伤，有修。

参阅：《故宫博物院藏文物珍品大系·青花釉里红（中）》图63。《中国历代陶瓷鉴赏·明官窑》第184页。

清雍正 青花花卉纹盘

估　价：RMB 30,000-50,000
成交价：RMB 33,000
尺　寸：宽 15 cm
2006.6.3　1803

“大清雍正年制”六字二行楷书款，雍正本朝。敞口小盘，盘形标准。盘心双圈内绘青花缠枝花卉纹，笔触纤细，纹饰流畅，发色淡雅。

清乾隆 青花五蝠棒寿纹盘

估　价：RMB 12,000-18,000
成交价：RMB 30,800
尺　寸：宽 16 cm
2006.6.3　1804

“大清乾隆年制”六字三行篆书款，乾隆本朝。口沿微撇，浅腹圈足，盘形周正，釉质莹润。盘心绘青花五蝠捧寿纹，五只蝙蝠口衔“卍”字符，围绕一团寿字；内壁口沿绘一周如意云头纹；外壁绘四组蝠衔磬纹，寓意“福庆万代”，间以缠枝花卉纹绘画规整细腻，青花发色标准，底书“大清乾隆年制”青花篆书款。

清乾隆 青花松鼠葡萄纹大碗
估 价：RMB 40,000-60,000
尺 寸：直径 66,000 cm
2006.6.3 1806

"大清乾隆年制年制"六字三行篆书款，乾隆本朝。口沿微撇，深腹，圈足。内壁素白，外壁绘青花松鼠葡萄纹，绘画繁密细致，青花呈色青翠，底落"大清乾隆年制"青花款。

以葡萄为装饰题材，较早的是见於唐代金银铜器上，如唐代海马葡萄铜镜，葡萄纹银壶都很著名。至明清时期更多见，永乐青花、成化斗彩中的葡萄纹饰早已脍炙人口，清康熙、乾隆时期瓷器上，此纹饰使用得更加普遍。

明嘉靖 青花国泰民安葫芦瓶
估　价：RMB 280,000-380,000
成交价：RMB 308,000
尺　寸：高 60 cm
2005.5.15　1995

瓶呈葫芦式，直口，束腰，双圆腹，足内无釉露胎，以青花为饰，通体绘以八至十道纹饰，上腹主题绘折枝莲花及“风调雨顺”四字，下腹绘折枝花果及“国泰民安”四字，上下穿插卷草、折枝莲及变形莲瓣纹。青花色彩浓艳，绘画工艺属嘉靖一朝青花器中的佳作。葫芦瓶造型在嘉靖时期十分风行，此瓶为嘉靖青花的早期作品。口小修。

明万历 青花孔雀双狮纹绣墩
估　价：RMB 100,000-150,000
成交价：RMB 176,000
尺　寸：高 35 cm
2005.5.15　1997

绣墩为古代坐具，又称坐墩。鼓式，中空，墩面凸起，墩体上下各凸起一周鼓钉，釉面厚润，白中泛青。造型纯朴，给人以稳重厚实之感。墩体纹饰分为三部分，近墩面处绘青花如意云头纹，间绘花卉；中间部分绘孔雀纹；底部绘海水江崖纹。墩面绘双狮戏球纹，纹饰绘画富于动感。

明万历 青花缠枝花纹罐
估　价：RMB 250,000-300,000
尺　寸：高 21.5 cm
2005.5.15　1996

“大明嘉靖年制”六字两行楷书款，嘉靖本朝。罐圆口，短直颈，长弧腹，圈足。颈部饰蕉叶纹，肩部饰一周缠枝花卉纹，主体纹饰以松竹梅树枝缠绕形成变形“福禄寿”三字，周围衬以洞石花草，青花发色浓艳。底落“大明嘉靖年制”青花楷书款。口有伤。

民 国　邓碧珊绘粉彩鱼虾图水洗
估　价：RMB 20,000-30,000
成交价：RMB 44,000
尺　寸：宽 26.6 cm
2006.6.3　1916

水洗浅腹，口内卷，卧足。内壁绘粉彩鱼虾图，旁题墨彩诗文："山外斜阳半未沉，清潭一曲绿荫荫。此时我也知鱼乐，不是雷同庄子心。丁卯（1927年）冬铁肩子邓碧珊。"底部落"碧珊"红章款。

邓碧珊（1874–1930），字碧环，号铁肩子，江西余干县人，为清末秀才。擅长粉彩鱼藻，其技法颇受日本绘画影响。

民 国　黄地粉彩万寿无疆纹大盘
估　价：RMB 12,000-18,000
成交价：RMB 13,200
尺　寸：宽 35 cm
2006.6.3　1917

"大清光绪年制"六字二行楷书款，民国时期。敞口，圈足，盘形周正。内壁以黄釉为地，园形开光内分别描金书"万寿无疆"四字，盘心描金团寿字，周围衬以绿彩海水纹，彩云纹、"卍"字绶带纹，背面绘三组花卉纹饰，布局规整，寓意吉祥。清朝宫廷在瓷器用色上有严格的等级差别。等级越高，用黄色的越多。此盘底落"大清光绪年制"红彩款，与瓷盘图案相同，也有落"储绣宫制"青花篆书款。

民国　粉彩婴戏图瓶
估　价：RMB 30,000-50,000
成交价：RMB 38,500
尺　寸：高 21.5 cm
2006.6.3　1914

“大清乾隆年制”六字三行篆书款，民国时期。小口短颈，溜肩，又称“莱菔瓶”。外壁绘粉彩婴戏图，五婴姿态各异，栩栩如生，具有典型的民国时期粉彩器之画风。

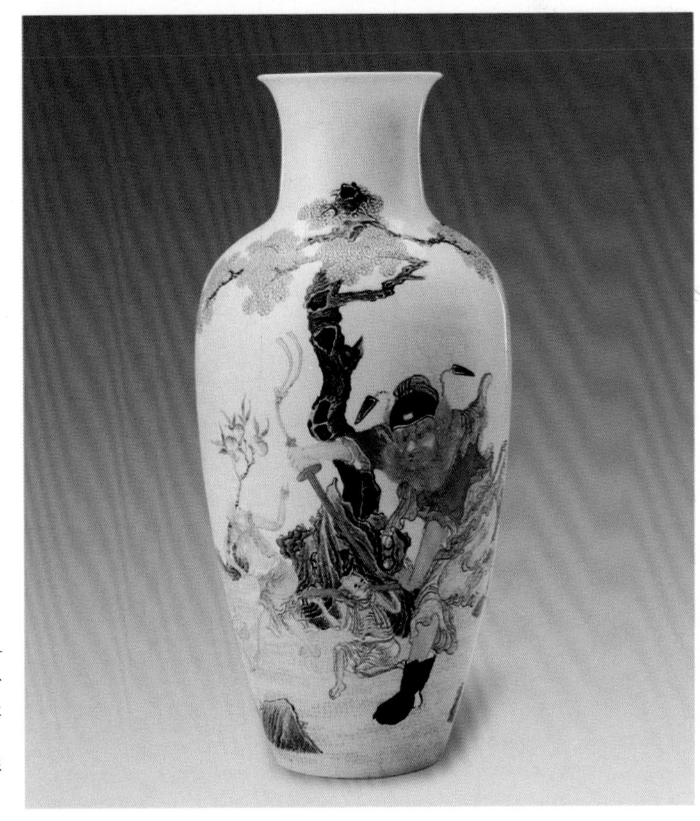

民　国　粉彩钟馗斩鬼图瓶
估　价：RMB 25,000-35,000
成交价：RMB 44,000
尺　寸：高 33.5 cm
2006.6.3　1915

“大清光绪年制”六字三行篆书款，民国时期。撇口，短颈，椭圆形腹，腹下渐收。胎体轻薄，腹部绘粉彩钟馗着红彩上衫，手持利剑，面相凶忿，冲向小鬼，三个小鬼惊慌失色，形像生动。

清　末　程门绘浅绛彩山水图瓷板
估　价：RMB 60,000-80,000
成交价：RMB 49,000
尺　寸：42.5X29.5 cm
2006.6.3　1912

瓷板以浓淡不同的墨彩绘山石雄峙耸立，淡绿彩点涂树木，江舟独泊崖边。上题诗云："钓罢船归，空将日色微。闲鸥真解事，款款傍人飞。笠道人程门作於吕江官舍。"
程门：（？ —1908）又名增培，字松生，号雪笠、笠道人。安徽人。工书善画，尤以画称，客景德镇画瓷器，凡山水、人物、花卉兼擅。咸丰。同治时名噪大江南北。

民　国　王步绘粉彩人物果疏图方笔筒
估　价：RMB 8,000-12,000
成交价：RMB 41,800
尺　寸：高 12.6 cm
2006.6.3　1913

方形笔筒，矮圈足。一面绘粉彩达摩礼佛图，题"竹溪"款；一面绘莱菔白菜图，落墨彩书"王步戏作"款。两面各题墨彩诗文一首。粉彩色彩浓艳，底落"长湖"红彩款。
王步（1896—1968），字仁元，号竹溪道人，晚年又号陶青老人，齐名愿闻吾过之齐。常在底款部位书写"竹溪"或"长湖"者。抗战期间亦绘彩绘粉丝，常见题材有怪佛，丛菊之类。

清乾隆 唐英墨彩云龙纹笔筒
估　价：RMB 250,000-300,000
尺　寸：高 11 cm
2005.5.15　2003

“乾隆年制”四字两行篆书款，乾隆本朝。圆筒形笔筒，直壁，矮圈足，内施松石绿釉，釉色已变浅淡，外壁施白釉，绘墨彩云龙纹，笔墨酣畅淋漓，气势宏伟。墨书题“制于珠山官舍”。红彩绘“陶”“榷”印章纹。有残。

清乾隆 唐英诗文粉彩笔筒
估　价：RMB 500,000-700,000
成交价：RMB 550,000
尺　寸：高 11.6 cm
2005.5.15　2004

笔筒呈正方形，承以四足。四边框及内里施木纹釉，古朴自然。两侧诗文一是：“天际晴云舒复卷，庭中风絮去还来；人生自在常如此，何事能妨笑口开。琴川铭制。”“铭”“御章”印。一是：“懒视门前长者车，有山堪采水堪渔；是非不入东风耳，花落花开只读书。甲戌（即乾隆十九年，公元1754年）仲冬。沐斋书。”“陶”“铸”印。另两侧绘粉彩山水图，高山流水，苍松古柏，茅屋小桥，高士漫步其间。笔筒形制规整，诗书画印，文人雅趣，跃然案头。有小修。

清乾隆 粉彩缠枝花卉纹佛塔

估　价：RMB 1,200,000-1,800,000
成交价：RMB 1,870,000
尺　寸：高 46.5 cm
2005.5.15　2005

此件造型酷似北京市妙应寺白塔，属于藏传佛教的佛塔式样，由须弥座式的塔基、覆钵形的塔身和十三无相轮塔刹三大部分组成。塔身纹饰繁密，肩部绘藏传佛教特有的子巴纹以及璎珞花卉纹，腹部主题纹样用宝相花表现。须弥座面为宝蓝地粉彩勾莲纹，肩部、胫部及座子的台阶处饰莲瓣纹、棱形纹、圆珠纹、回纹和花卉纹装饰带。贲门、须弥座内壁罩湖绿釉。这种绝无仅有的造型只出自于乾隆官窑，体现了清代朝廷与藏族上层的亲密关系。藏传佛教的佛塔有菩提塔、聚莲塔、尊圣塔、多门吉祥塔、天降塔、和结塔、神便塔、涅槃塔等八种类型，是为纪念佛祖一生从诞生到涅槃塔的八个重大事件而设置的。此塔仅有一层塔基，应是涅槃塔的造型。

清乾隆　粉彩福寿万代纹碗一对
估　价：RMB 55,000-75,000
成交价：RMB 79,200 （2）
尺　寸：直径 17.2 cm
2005.5.15　2008

“恭寿堂制”四字二行楷书款，乾隆时期。口沿微撇，形制较大，碗形端正。外壁以粉彩绘缠枝宝相花和蝙蝠衔“卐”字纹，寓意福寿万代，碗心绘粉彩寿桃，绘画流畅，色彩丰富。碗底原有“大清乾隆年制”青花六字篆书款，后覆盖有“恭寿堂制”款。

清乾隆 粉彩鸡纹碗一对

估　价：RMB 300,000-500,000 （2）

成交价：RMB 330,000

尺　寸：直径 13.4 cm

2005.5.15　2012

“彩华堂制”四字二行楷书款，乾隆时期。杯直口，深腹，圈足。碗心绘洞石双鸡纹，外壁满绘斗鸡图。足内青花双方框“彩华堂制”四字楷书款。此杯纹饰是模仿著名的明成化斗彩鸡缸杯，但造型明显不同，构图不拘泥成化形式，变化很大，画面更趋于装饰效果。

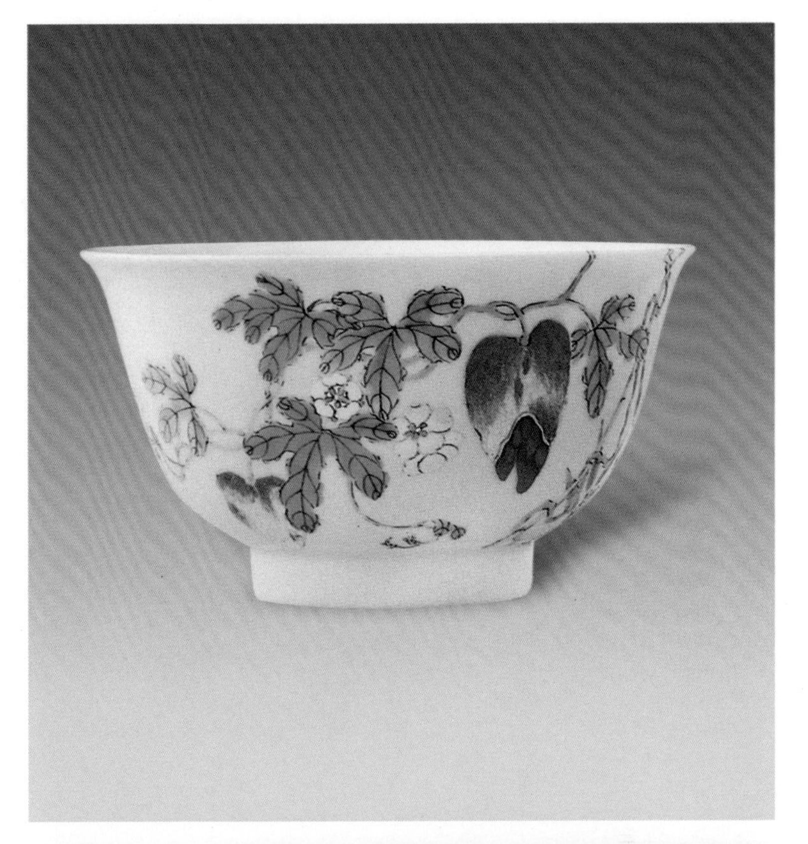

清乾隆 粉彩癞瓜纹碗一对
估　价：RMB 250,000-300,000 （2）
成交价：RMB 396,000
尺　寸：直径 11 cm
2005.5.15　2010

"大清乾隆年制"六字三行篆书款，流畅生动，口微撇，深腹，圈足。内、外壁绘过枝癞瓜和竹枝纹，画面构思巧妙，色彩浓淡相宜，绘制工艺精湛。中枝癞瓜纹始见于乾隆朝，画意为《海瓞绵绵"，寓意"福寿绵长，子孙绵延"，是传统的宫廷用祝寿器具，是典型的乾隆官窑粉彩器。

清乾隆 粉彩菊花鹌鹑纹盘
估 价：RMB 120,000-180,000
尺 寸：直径 15.8 cm
2005.5.15 2013

“大清乾隆年制”六字三行篆书款，乾隆本朝。
敞口小盘，盘内绘粉彩菊花洞石，蝴蝶飞舞，一对鹌鹑相视，画面清新，外壁绘三组花卉，有“安居乐业”之美好寓意，乾隆时期瓷器上常用的喜庆图案。
著录：《Sotheby’s》 HK.28 April，1999，lot.480。

清嘉庆 黄地粉彩花卉纹碗
估 价：RMB 100,000-150,000
成交价：RMB 110,000
尺 寸：**直径** 14.9 cm
2005.5.15 2014

“大清嘉庆年制”六字三行篆书款，嘉庆本朝。口沿外翻，圆腹圈足。碗心以红彩绘展翅蝙蝠五只，外壁在黄地上绘四季花卉图案，绘画精细，色彩浓艳，对比强烈。

清嘉庆 松石绿地粉彩福寿纹瓶
估 价：RMB 1,500,000-2,000,000
尺 寸：高 27.5 cm
2005.5.15　2016

“大清嘉庆年制”六字三行篆书款，嘉庆本朝。撇口束颈，圆腹圈足，瓶形挺拔俊秀。瓶外壁施松石绿釉为地，满绘粉彩西番莲纹，颈部以几何纹、如意云头纹间隔，腹部绘金彩“寿”字纹，周围绘蝙蝠衔“卐”纹，蕴含“福寿万代”之美好寓意。此瓶纹饰精美，画工精湛，色彩丰富，是嘉庆官窑难得的精品。保存完好，极为罕见。

清乾隆 斗彩暗八仙折腰盘
估 价：RMB 80,000-120,000
成交价：RMB 96,800
尺 寸：直径 20 cm
2005.5.15 1979

“大清乾隆年制”六字三行篆书款，乾隆本朝。束腰，器底内凹形成圈足。盘内心饰月华锦纹，有莲叶、桃子和莲花相拥，盘内壁环饰“暗八仙”图案。外壁的折枝纹用石竹花、荷花、蝴蝶兰等花卉表现，构图疏密有致。这种折腰盘的烧制，自乾隆时期开始，是清代官窑的传统产品。此件白釉滋润，用色丰富，色彩艳丽，为乾隆身后有火焰背光，彩器。底有惊釉。

清嘉庆 粉彩福寿纹盘

估　价：RMB 16,000-26,000

尺　寸：**直径** 15.5 cm

2005.5.15　2017

“大清嘉庆年制”六字三行篆书款，嘉庆本朝敞口小盘，盘心绘矾红彩五蝠捧寿图，寓意“福寿双全”，外壁绘粉彩缠枝莲纹，色彩淡雅。

清道光 粉彩八吉祥碗

估　价：RMB 15,000-20,000

成交价：RMB 30,800

尺　寸：**直径** 10.5 cm

2005.5.15　2018

“大清道光年制”六字三行篆书款，道光本朝。碗外壁绘粉彩八吉祥图案，搭配回纹和如意云头纹。此种纹饰始见于乾隆时期，后即成为清代官窑瓷器的典型品种。

清道光 粉彩人物图盖碗
估　价：RMB 20,000-30,000
成交价：RMB 46,200
尺　寸：**直径** 10.6 cm
2005.5.15　2020

“大清道光年制”六字三行篆书款，道光本朝。碗深腹，圈足，盖近似于浅碗形。以粉彩为饰，满绘高士访友图，画面生动描画了一高士扬鞭骑驴，身后随一小童行在山间，肩扛梅枝。此碗胎薄体轻，画面纹饰高雅，色彩柔和淡雅，这种装饰题材在道光时期比较多见。盖有冲，碗小崩。

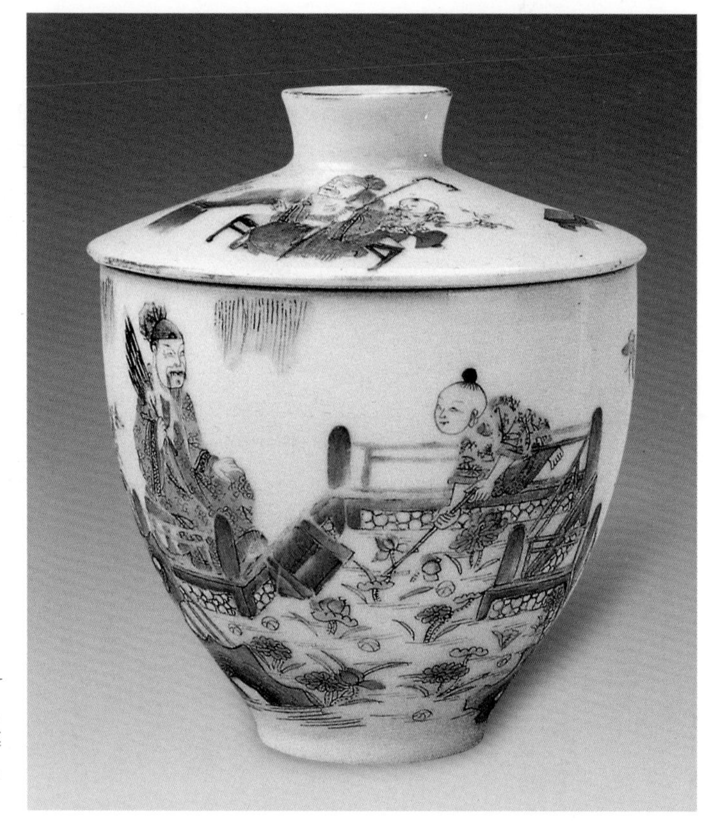

清道光 粉彩人物图盖杯
估　价：RMB 20,000-30,000
尺　寸：**直径** 7.8 cm
2005.5.15　2021

“大清道光年制”六字三行篆书款，道光本朝。以粉彩为饰，盖面绘高士赏古图，杯身绘采莲图，空间衬以洞石、栏杆、花草、垂柳及蝙蝠纹。画面人物神态生动，构图精巧。

清乾隆 青花矾红海水龙纹碗
估　价：RMB 28,000-38,000
尺　寸：**宽** 18.5 cm
2006.6.3　1833

“彩华堂制”四字二行款，乾隆时期。敞口大碗，深腹圈足。碗心绘青花红彩云龙纹，外口沿绘一周青花如意云头纹，腹部亦绘青花红彩云龙赶珠纹；近足处饰一周海水纹，并以绿彩填饰，青花饰云纹，红彩饰龙纹，色彩丰富，色调和谐。底部落“彩华堂制”红彩堂名款，“彩华堂”为清代乾隆时期堂名款这一。

清乾隆 青花矾红海水龙纹碗
估　价：RMB 12,000-18,000
成交价：RMB 27,500
尺　寸：**宽** 12 cm
2006.6.3　1834

“养和堂制”四字二行款，乾隆时期。折沿，浅腹，圈足，盘心突起一周供放置茶盏。盘心矾红绘团寿字，周围以红彩绘双龙戏珠纹、青花绘祥云；外壁绘一周青花莲瓣纹，绘画工整。底部墨彩书“养和堂制”楷书款。应为王府定烧之物。

清乾隆 青花胭脂红云龙盘一对
估　价：RMB 80,000-120,000
成交价：RMB 143,000
尺　寸：宽 15.3 cm
2006.6.3　1835

“大清道光年制”六字三行篆书款，乾隆本朝。盘形规整，内口沿以青花绘如意云头纹，盘心绘胭脂红彩戏珠龙纹，外壁绘青花五蝠衔“卐”字绶带纹。

清中期 青花釉里红缠枝莲纹梅瓶
估　价：RMB 200,000-300,000
成交价：RMB 418,000
尺　寸：高 34.5 cm
2006.6.3　1826

唇口，短颈，丰肩，长腹，圈足，造型古雅。青花釉里红装饰，釉里红绘大朵莲花，青花绘枝蔓，辅以如意云头纹、及瓣纹等边饰。呈色明艳，略有晕散。

清康熙 釉里三彩山石花卉纹瓶

估 价：RMB 500,000-700,000

尺 寸：高 43 cm

2005.5.15 2023

"大清康熙年制"六字三行楷书款，康熙本朝。瓶撇口，短颈，长腹下收，圈足，俗称"观音瓶"，为康熙朝的典型式样。装饰工艺独特，先以浮雕工艺刻画出纹饰轮廓，以釉里三彩饰山石花卉图案，豆青釉色饰玲珑洞石，青花绘花叶山石，釉里红则饰花朵蝴蝶等，画面构图新颖别致，制作工艺精湛。足内有青花双圈"大清康熙年制"六字楷书款。

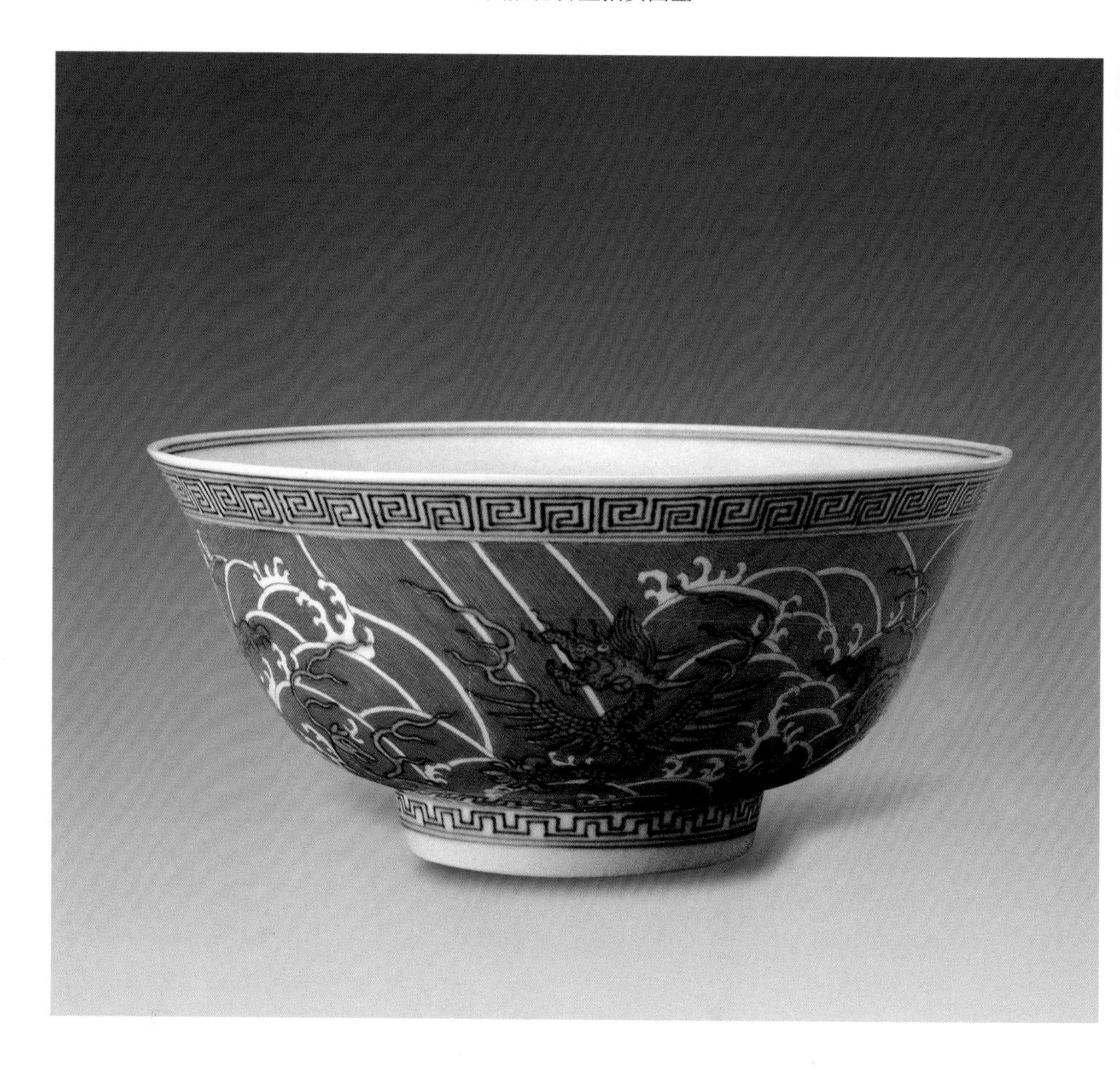

清道光 青花矾红海八怪大碗
估 价：RMB 80,000-120,000
成交价：RMB 88,000
尺 寸：宽 21 cm
2006.6.3 1838

"大清道光年制"六字三行篆书款，道光本朝。敞口，深腹，圈足。外壁以青花矾红装饰，口沿及足部绘青花回纹与几何纹边饰，腹部以矾红彩绘海水，以青花绘海八怪。色彩浓艳，对比强烈。底落"大清道光年制"青花款。

清乾隆 青花釉里红藏龙教子瓶
估　价：RMB 500,000-700,000
成交价：RMB 1,100,000
尺　寸：高 28.5 cm
2005.5.15　2025

撇口束颈，鼓腹圈足，器形优美。通体以釉里红绘海水，青花绘龙纹，龙纹矫健，气势宏伟。

清乾隆 青花釉里红花卉壮罐
估　价：RMB 60,000-80,000
尺　寸：高 23.4 cm
2005.5.15　2026

直口，椭圆形腹，圈足，器形敦厚。自口部绘青花蕉叶纹、回纹、如意云头纹等边饰，腹部主体以釉里红绘三果纹，青花绘枝叶，发色浅淡，寓意“多福、多子、多寿”。

清乾隆 豆青釉青花釉里红云蝠纹盘
估　价：RMB 20,000-30,000
成交价：RMB 22,000
尺　寸：直径 29 cm
2005.5.15　2027

“大清乾隆年制”六字三行篆书款，乾隆时期。菱花形口，浅腹，圈足。通体施豆青釉，釉质莹润，以青花绘祥云，釉里红绘蝙蝠，构图丰满，采用多种工艺，为乾隆时期代表性作品。

清乾隆 青花釉里红花卉壮罐
估 价：RMB 40,000-60,000
成交价：RMB 66,000
尺 寸：直径 8 cm
2006.6.3 1836

“大清乾隆年制”六字三行篆书款，乾隆本朝。敞口小杯，深腹圈足，杯形秀巧。内壁光素，外壁绘青花矾红彩花卉纹四组。青花饰叶，矾红饰花，相得益彰。配日本包装。

民 国 矾红彩绘花鸟纹海棠瓶
估 价：RMB 20,000-30,000
成交价：RMB 49,800
尺 寸：高 39 cm
2006.6.3 1837

“大清光绪年制”六字二行楷书款，民国时期。撇口束颈，鼓腹圈足，赏瓶形制。通体以矾红彩描金装饰。外口沿绘一周如意云头纹，颈部绘画眉牡丹图，肩部饰锦地开光花卉图，腹部绘画眉、蟋蟀立於菊花、梅树之间，周围彩蝶翩翩，胫部绘莲瓣纹一周。绘画纤细，色彩富贵典雅。

清乾隆 青花釉里红双狮绣球天球瓶
估　价：RMB 80,000-1,200,000
成交价：RMB 1,540,000
尺　寸：高 38 cm
2005.5.15　2029

“大清乾隆年制”六字三行篆书款，乾隆本朝。瓶直口，长颈，圆腹，圈足，以青花釉里红为饰，腹部主题图案绘狮子戏球，上下衬以如意云头、蕉叶、花朵等纹。纹饰取材生动活泼，双狮神情憨态可掬，画面色彩协调，青花釉里红呈色均匀艳丽，十分难得。足内有青花篆书“大清乾隆年制”六字款。

清康熙 蓝地留白诗文笔筒

估　价： RMB 50,000-70,000

成交价： RMB 660,000

尺　寸： 宽 19.5 cm

2006.6.3　1875

直壁形笔筒，口底相若，玉壁底。内壁素白，外壁施祭蓝釉留白诗文“东壁图书府，西园翰墨林。诵诗闻国政，讲易见天心。”落“雅玩”款。字体规整，新颖别致。配漆盖及日本包装。采用相同工艺技法烧造的笔筒，如故宫博物院藏“清康熙洒蓝釉怀素草书笔筒”。蓝釉白字，是在通体蓝釉地上，衬以白色纹饰，具有特殊的效果。此技法始创於元代，明清时期均有烧造。

清道光 矾红龙纹盘一对
估　价：RMB 70,000-90,000 （2）
成交价：RMB 85,800
尺　寸：**直径** 18 cm
2005.5.15　2033

“大清道光年制”六字三行篆书款，道光本朝。盘撇口，弧腹，圈足。盘内施白釉，外壁釉下暗刻海水江崖纹，釉上红彩绘二龙戏珠纹。盘形端庄规整，釉面细润，绘画精细，色彩艳丽。足内有青花篆书“大清道光年制”六字款。

清雍正 养和堂青花矾红云龙格碟一对
估　价：RMB 35,000-55,000 （2）
成交价：RMB 49,500
尺　寸：**直径** 13.3 cm
2005.5.15　2034

“养和堂制”四字二行楷书款，雍正时期。花瓣形口，弧腹，圈足。碟中心留有圆格，并书红彩团“寿”字，围绕圆格处以曲线分隔为五部分，其间绘青花祥云，外壁青花红彩绘赶珠龙纹，底落“养和堂制”墨彩楷书款。一只小伤。

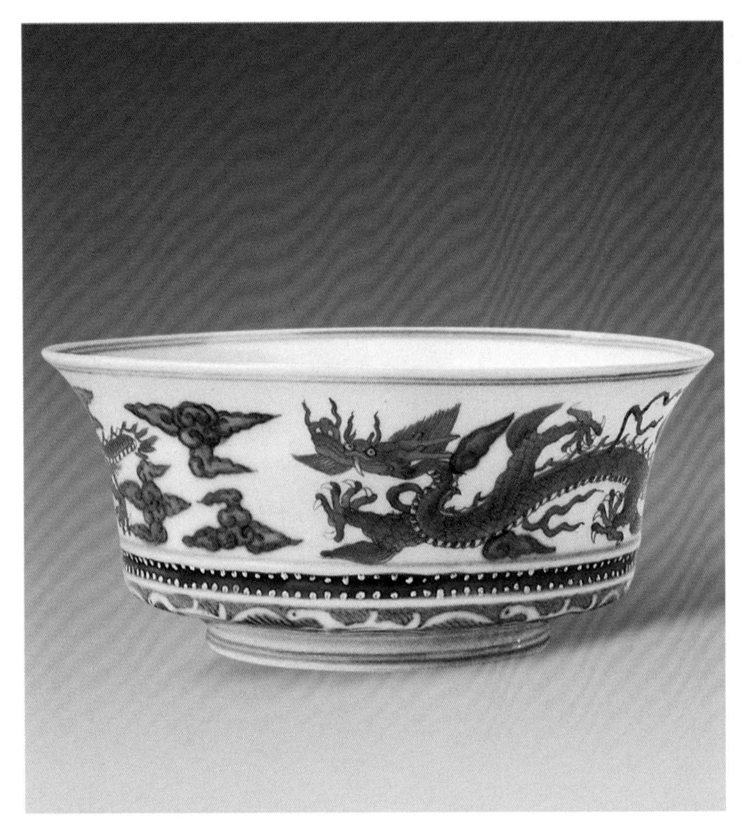

清雍正 青花矾红龙纹碗

估　价：RMB 45,000-65,000

尺　寸：直径 17.6 cm

2005.5.15　2035

“椒声馆制”四字二行楷书款，雍正时期。撇口，斜腹，折胫，圈足。外壁绘青花红彩云龙纹，纹饰风格似仿明代永宣时期，近足处绘一周青花海水纹。底书“椒声馆制”青花款。

清乾隆 青花矾红海水龙纹盘

估　价：RMB 60,000-80,000

成交价：RMB 99,000

尺　寸：直径 17.5 cm

2005.5.15　2036

“大清乾隆年制”六字三行篆书款，乾隆本朝。盘内底及外壁以青花绘海水，红彩绘九龙纹，青花深沉，红彩浓艳，绘工精细。

明正德 刻填绿彩龙纹碗
估　价：RMB 300,000-500,000
成交价：RMB 451,000
尺　寸：直径 18.4 cm
2005.5.15　2037

“大明正德年制”六字二行楷书款，正德本朝。口沿微撇，弧腹圈足，碗形周正。碗心及外壁均在釉下刻出海水龙纹，施白釉露出龙纹，再在其上加绘绿彩，形成白地绿龙装饰，底落“大明正德年制”款。
参阅：《天津市艺术博物馆藏瓷》图 112。

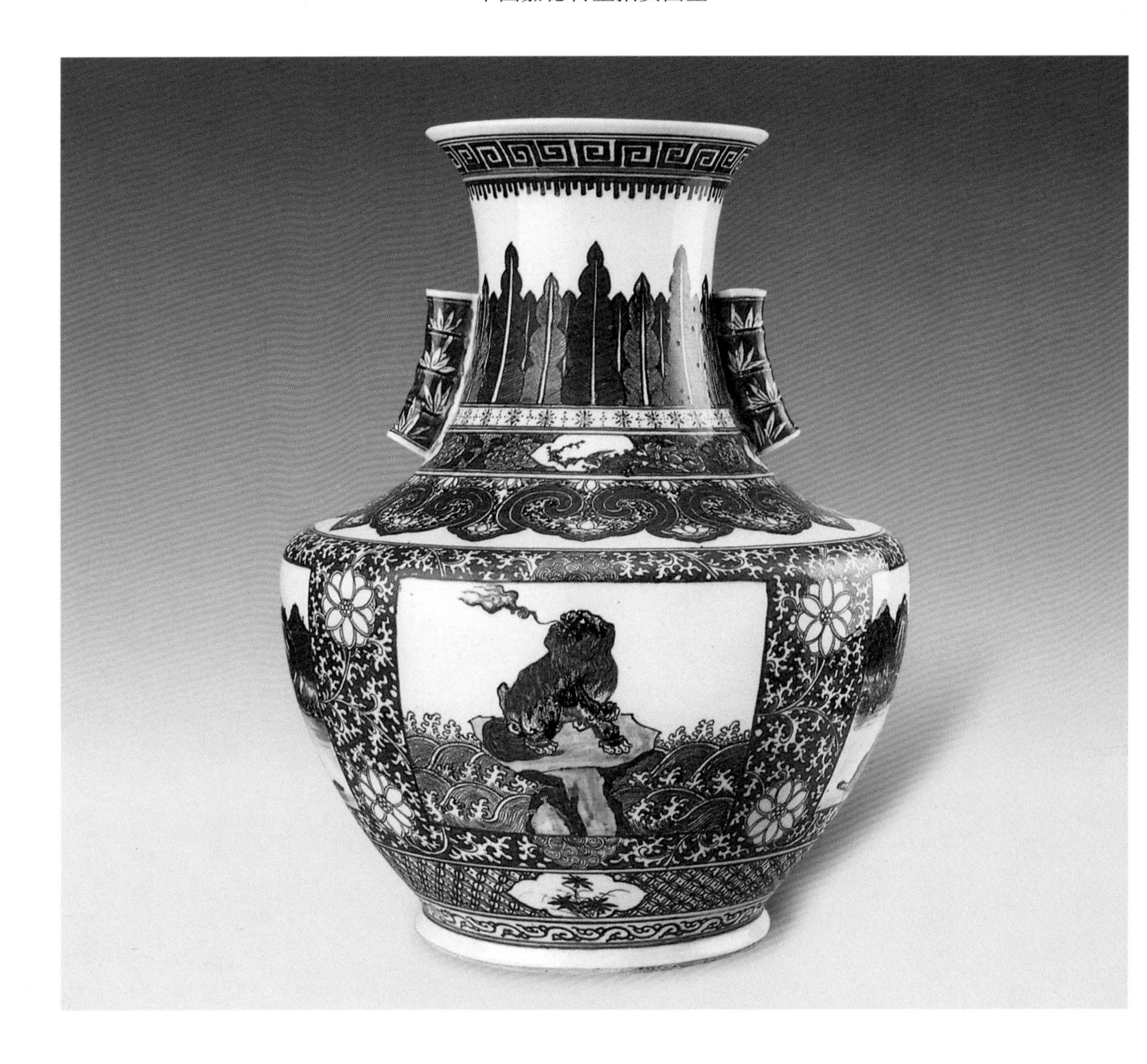

清　　青花釉里红山水瑞兽双耳尊
估　价：RMB 200,000-250,000
尺　寸：高 50 cm
2005.5.15　2032

撇口，束颈，颈饰竹节形耳，折肩，腹下渐收，器形壮硕。整体以青花釉里红装饰，纹饰上下分成八层，腹部开光内绘瑞兽图，层次清晰，绘画流畅，色泽浓艳。

底面

明嘉靖 赭地黄彩云龙纹碗
估 价：RMB 1,200,000-1,800,000
成交价：RMB 1,870,000
尺 寸：**直径** 14.5 cm
2005.5.15 2038

“大明嘉靖年制”六字二行楷书款，嘉靖本朝。碗敞口，弧腹，圈足。此碗装饰工艺极为特殊，首先在胎上刻画纹饰图案，碗内釉下以青花绘灵芝纹、三角形纹，釉下再施酱彩为地色。外壁釉下刻云龙纹、莲瓣纹，釉上分施黄、赭石两色，底部赭色地上刻，露出黄色“大明嘉靖年制”六字楷书款。色彩搭配古朴典雅，别致新颖，是极为罕见的品种，更是难得一见的珍品。

清康熙 黄地绿彩花卉龙纹碗

估　价：RMB 30,000-50,000

尺　寸：直径 11.5 cm

2005.5.15　2039

“大清康熙年制”六字二行楷书款，康熙本朝。碗敞口，圆腹渐收，圈足略高，造型秀丽。里外以黄釉绿彩为饰，碗心绘龙戏珠纹一组，外壁满绘折枝花果纹，口沿与胫部分绘古钱纹、如意头纹各一周。此碗黄釉衬绿彩，鲜艳醒目，图案工整，为典型的清宫生活用瓷。有冲。

清康熙 黄地绿龙纹杯

估　价：RMB 50,000-70,000

尺　寸：10.2 cm

2005.5.15　2040

“大清康熙年制”六字二楷书款，康熙本朝。碗撇口，圆腹，圈足。以黄釉绿彩为饰，碗心饰绿彩团寿字，外壁绘双龙戏珠纹，口沿与胫部分绘卷草与如意头纹。足内青花双圈“大清康熙年制”六字楷书款。有冲。

清康熙 黄地绿彩花鸟纹碗一对
估　价：RMB 200,000-250,000 (2)
尺　寸：直径 12.3 cm
2005.5.15　2041

“大清康熙年制”六字二行楷书款，康熙本朝。碗敞口，圆腹，圈足。内壁施均匀之黄釉，外壁于釉下先刻画出花鸟纹样，再施黄绿二色彩釉形成黄地绿彩的装饰。此碗是典型的宫中生活用瓷。胎体薄厚适中，做工精细，色彩匀净。足内有青花双圈“大清康熙年制”六字楷书款。一只口有冲。

1857(mark)

清康熙 黄釉暗刻龙凤纹碗一对
估　价：RMB 120,000-180,000（2）
成交价：RMB 176,000
尺　寸：宽 14.2 cm
2006.6.3　1857

“大清康熙年制”六字二行楷书款，雍正本朝。口沿微撇，深腹，圈足，碗形规整。通体施黄釉，碗心及外壁暗刻龙纹、凤纹及祥云、火珠纹，与以往常见的双龙戏珠纹装饰略有不同，此碗外壁暗刻龙纹和两只凤纹，一凤回首相望，一凤追赶，甚为生动。构思巧妙，刻画精细。底落“大清康熙年制”青花款。

清雍正 黄地紫绿龙纹盘一对
估　价：RMB 30,000-500,000（2）
成交价：RMB 352,000
尺　寸：直径 14 cm
2005.5.15　2043

“大清雍正年制”六字二行楷书款，雍正本朝。盘敞口，弧腹，圈足，以黄釉绿彩为饰，盘心于黄地上绘紫绿色双龙戏珠纹，外壁绘云仙鹤图案。器形规整，画工精细，色彩搭配协调，清新雅致，为标准的清宫生活用瓷，自康熙至光绪时期都有生产，但传世品雍正朝产品十分罕见，是极为珍贵的品种。足内有“大清雍正年制”六字楷书款。

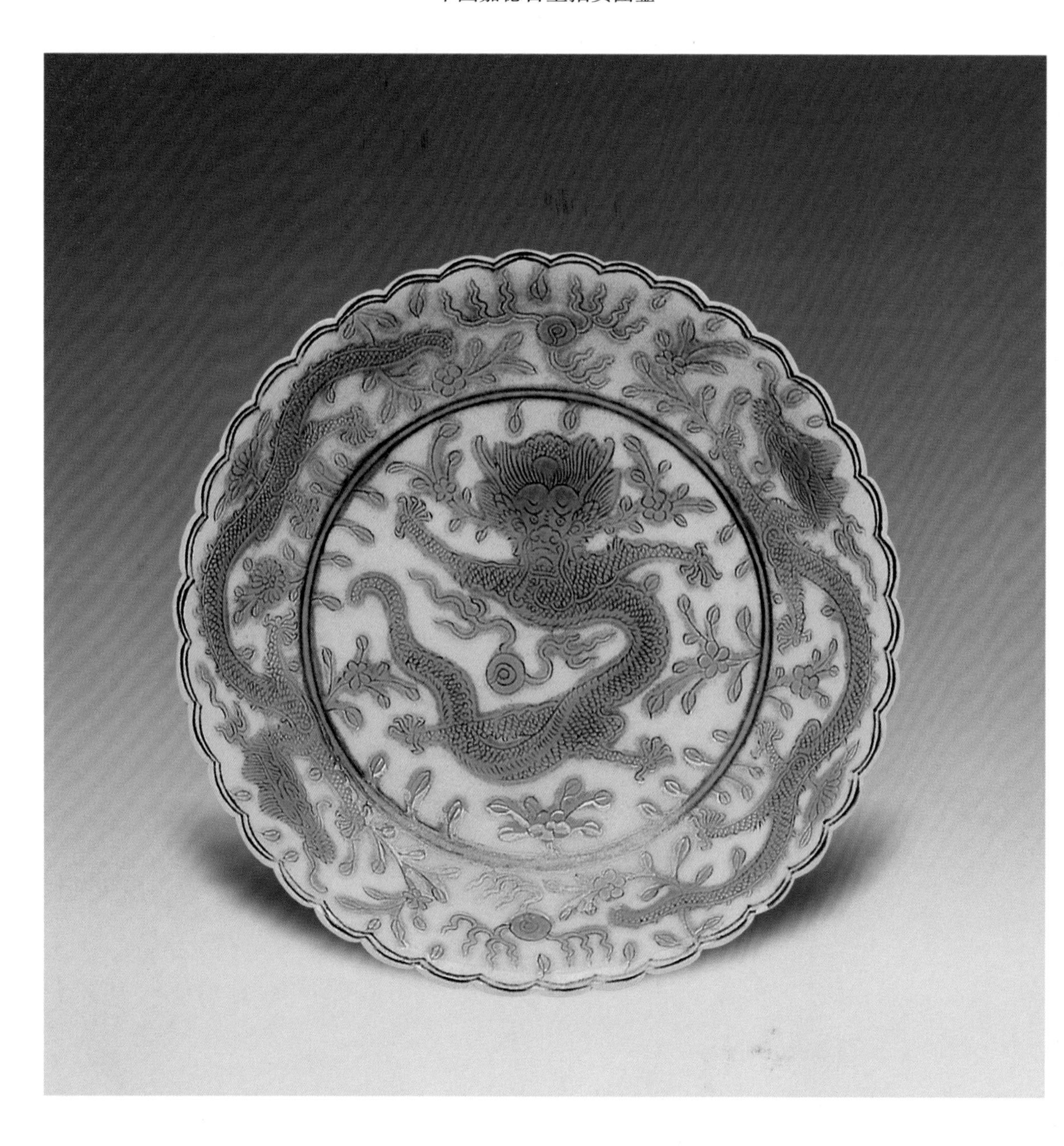

清嘉庆 黄地紫绿龙纹盘
估　价：RMB 40,000-60,000
成交价：RMB 57,200
尺　寸：**直径** 13.4 cm
2005.5.15　2044

“大清嘉庆年制”六字三行篆书款，嘉庆本期。盘花口，浅腹，圈足，足内有青花篆书“大清嘉庆年制”六字款。里外以黄釉绿彩为饰，里外壁绘双龙戏珠纹，盘心绘一组正面龙。形体秀丽，工艺精细。口沿小崩。

清雍正 黄釉刻缠枝莲纹小盘一对
估 价：RMB 150,000-200,000 （2）
尺 寸：**直径** 11.3 cm
2005.5.15 2045

“大清雍正年制”六字二行楷书款，雍正本朝。敞口浅盘，盘内外施均匀的黄釉，外壁于釉下刻有六朵宝相花纹。此对盘制作工艺精细，施釉均匀，色彩娇艳，完好保存，成对传世十分难得。一只小冲。

清雍正 黄釉双龙抢珠纹盃碗

估 价：RMB 1,700,000-2,700,000

尺 寸：直径 17 cm

2005.5.15 2046

“大清雍正年制”六字三行楷书款，雍正本朝。碗撇口，深腹饰两周弦纹，折胫，圈足。盖圆顶，折沿，塑天鹅钮。盖面及外壁暗刻云龙纹，近底是江牙海水纹，通体施黄釉，色泽淡雅，暗刻的花纹透过釉层清晰可见。盖里及碗心书有“大清雍正年制”六字楷书款。有冲。

清雍正 黄釉刻龙凤纹盘
估 价：RMB 120,000-180,000
尺 寸：直径 14 cm
2005.5.15 2047

"大清雍正年制"六字二行楷书款，雍正本朝。盘形规整，通体施黄釉，盘心暗刻团龙凤纹，外壁暗刻莲托八吉祥纹，纹饰刻画精细，保存完美，极为难得，是难得的官窑佳器。

清宣统 黄釉刻双龙抢珠纹碗
估 价：RMB 25,000-35,000
成交价：RMB 27,500
尺 寸：直径 14.4 cm
2005.5.15 2048

"大清宣统年制"六字二行楷书款，宣统本期。敞口，深腹，圈足，碗形周正。通体施黄釉，釉质莹润，外壁暗刻双龙赶珠纹，纹饰刻画流畅。

清乾隆 祭红釉蒜头瓶

估 价：RMB 300,000-500,000
成交价：RMB 330,000
尺 寸：高 28 cm
2006.6.3 1888

蒜头形口，细腻，垂腹，圈足外撇，器形秀美周正。通体施祭红釉，釉质肥厚，釉色均匀深沉，

釉下有大小不等的开片。底部落“大清乾隆年制”青花篆书款。蒜头瓶形式常见青花品种，而此件则以祭红施釉，呈色浓艳，与优美的造型结合得天衣无缝，给人们新颖之感，显示出官窑瓷器规整而有气势的风格。

清雍正 祭红釉小瓶
估　价：RMB 300,000-500,000
成交价：RMB 462,000
尺　寸：高 12 cm
2006.6.3　1885

"大清雍正年制"六字二行楷书款，雍正本朝。口沿外撇，束颈，鼓腹，浅圈足，器形别致。外壁通体祭红釉，釉质肥厚，釉色纯正均匀。底部落"大清雍正年制"青花款。雍正朝祭红釉瓷常以盘、碗为常见，瓶则较为少见，此瓶釉色纯正，十分少见。配木座。

清乾隆 木纹釉碗
估　价：RMB 20,000-30,000
成交价：RMB 22,000
尺　寸：直径 12.6 cm
2005.5.15　2052

撇口，直壁，浅腹，玉璧形圈足，外足墙高于内足墙，足端有较大的支烧点。它的内壁饰金彩，外壁罩木瘤纹釉。造型仿西藏地区有代表性的日用器皿——札木亚碗。

参阅：《宫廷珍藏——中国清代官窑瓷器》第355页。

清乾隆 松石绿地白彩夔龙纹碗
估　价：RMB 40,000-60,000
成交价：RMB 77,000
尺　寸：直径 13.2 cm
2005.5.15　2053

碗撇口，圆腹，玉璧形底，无款。口沿施金彩，里外施松石绿釉，口沿与近底凸印如意云头及变形莲瓣纹，腹部主题图案是折枝莲花纹。此碗胎体较厚重，仿松石绿釉颜色，晶莹别致。

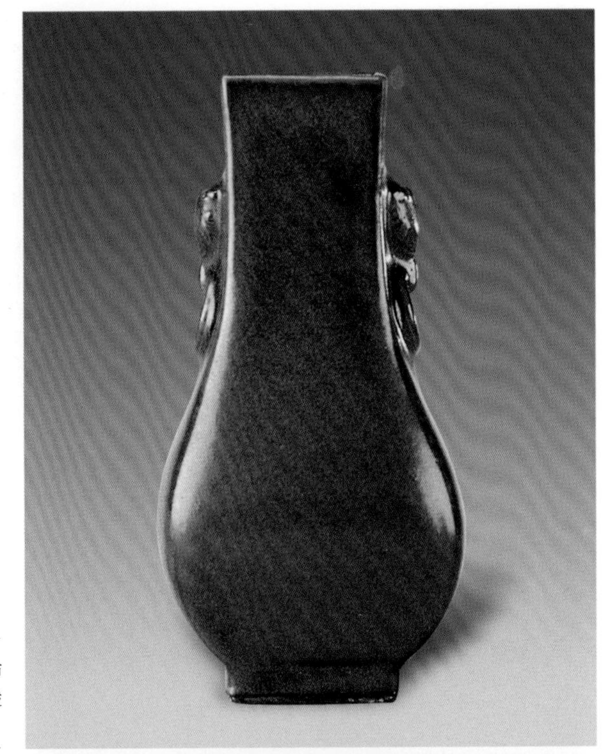

清中期 茶叶末釉双耳小瓶
估　价：RMB 25,000-35,000
尺　寸：高 11 cm
2005.5.15　2050

“成化年制”四字二行篆书款，清中期。方口，颈部饰双狮衔环耳，器形秀巧。通体施茶叶末釉，釉色均匀。棱边之处釉色浅淡，为文案之上的精巧陈设品。

清乾隆 茶叶末釉双耳瓶
估　价：RMB 300,000-500,000
成交价：RMB 781,000
尺　寸：高 29.8 cm
2005.5.15　2051

“大清乾隆年制”六字三行篆书款，乾隆本朝。瓶为海棠形，口沿微撇，细颈，扁圆形腹，颈饰双螭耳，圈足外撇。通体皆施茶叶末釉，釉色深沉匀净，古朴典雅。底落“大清乾隆年制”篆书款。此造型在传世品中十分少见，为难得的乾隆官窑低温釉器中的精品。

清雍正 炉钧釉八卦瓶
估　价：RMB 50,000-70,000
成交价：RMB 55,000
尺　寸：高 14.8 cm
2005.5.15　2055

瓶仿玉琮造型，小口，四方腹，圈足。口、足大小相若。通体及足内均施炉钧釉，外壁模印凸起八卦纹。此瓶在清朝十分流行，是仿照周代玉琮并加以变化，古朴敦厚，釉色变化，别具风味。

清乾隆 炉钧釉月耳瓶
估　价：RMB 100,000-150,000
成交价：RMB 121,000
尺　寸：高 24.5 cm
2005.5.15　2056

“大清乾隆年制”六字三行篆书款，乾隆本朝。灯笼尊式，翻口短颈，溜肩圆腹，腹两侧饰耳，圈足。通体施炉钧釉，釉色流淌自然。底部印有“大清乾隆年制”款。

清乾隆 炉钧釉双耳小瓶
估　价：RMB 15,000-20,000
成交价：RMB 30,800
尺　寸：高 14.2 cm
2005.5.15　2057

器形灵巧，颈部饰一对象首耳，浅圈足。外壁施炉钧釉，自然流淌，釉色典雅。

清乾隆 炉钧釉双狮耳瓶
估　价：RMB 80,000-120,000
尺　寸：高 21.5 cm
2005.5.15　2058

“大清乾隆年制”六字三行篆书款，清代。尊洗口，短颈，直腹，肩部堆塑双狮首耳，圈足。通体施炉钧釉，釉色偏黄，均匀分布红色斑点。足内有红彩篆书“大清乾隆年制”六字款。

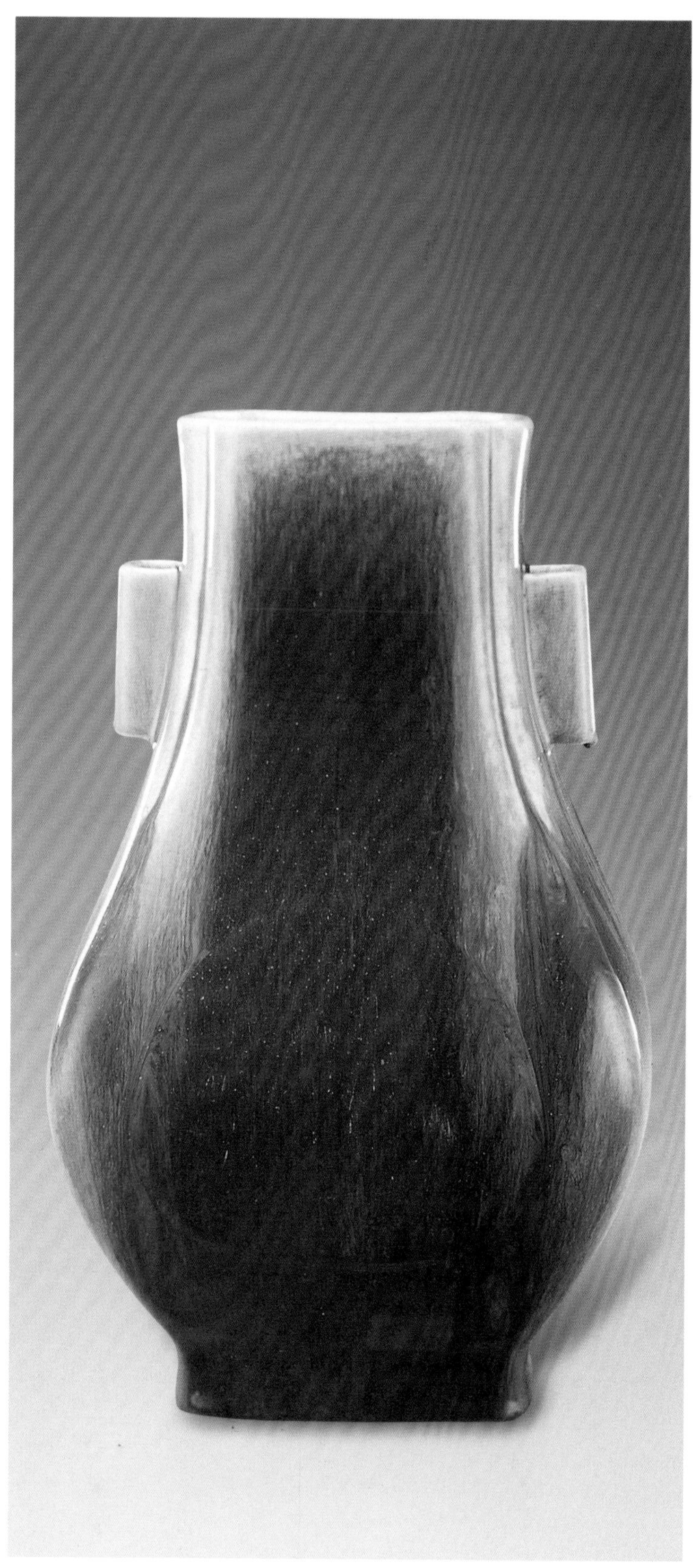

清乾隆 窑变釉贯耳方瓶

估　价：RMB 150,000-200,000

成交价：RMB 187,000

尺　寸：高 30.5 cm

2006.6.3　1884

“大清乾隆年制”六字三行篆书款，乾隆本朝。近似海棠形口，直颈两侧饰贯耳，扁腹部桃状突起，长方形圈足。通体施窑变釉，窑变釉以蓝色为主，紫、红、月白与红色交融，色彩绚丽，釉质晶莹，釉表形成细密开片。为乾隆时期窑变釉的典型器。

清雍正 仿钧釉菱花式洗
估　价：RMB 100,000-150,000
成交价：RMB 148,000
尺　寸：宽 20.5 cm
2006.6.3　1882

“雍正年制”四字二行篆书款，雍正本朝。通体呈六瓣菱花式，花口，弧壁，圈足，下承以三云头足。通体施仿钧釉，洗心呈月白色，折沿及外壁为紫色、蓝色交相辉映，色彩火焰般奔放。底部施酱釉，阴刻“雍正年制”四字篆书款。

清　　窑变釉石榴尊
估　价：RMB 50,000-70,000
成交价：RMB 55,000
尺　寸：高 28.5 cm
2006.6.3　1883

翻口，如意云头形口，束颈，鼓腹，圈足微撇。通体施窑变釉，釉质莹润，瓶身布满开片，紫红色、蓝色、月白色交织，色彩绚丽。

元　　龙泉窑玉壶春瓶
估　价：RMB 400,000-600,000
尺　寸：高 27.5 cm
2005.5.15　2061

瓶颈修长，唇口外翻，器形雅致。玉壶春形制始于宋代，至元代器形则更加秀美。瓶身通体施青釉，釉色均匀，釉表呈细密开片，釉质温润。口沿及腹有冲。

明永乐 龙泉窑刻花卉纹菱花口大盘
估　价：RMB 1,800,000-2,800,000
成交价：RMB 660,000
尺　寸：**直径** 64 cm
2005.5.15　2062

大盘为菱花口，折沿，器壁为瓜棱形。浅圈足，涩圈露胎处呈赤褐“火石红”色。盘心浅刻折枝双桃纹，枝干曲折而上。一对饱满的寿桃对称居中，枝叶分布四周，舒展流畅，桃花及花蕾点缀其间。桃自古为神仙长寿之果，故寓意吉祥，相同双桃纹饰亦见明永乐景德镇官窑青花大盘。盘内壁十六组莲瓣形开光，分刻四时花果，计有莲蓬、萱花、葡萄、南瓜、芍药、荷花、水仙、山茶、荔枝、牡丹、石榴、菊花等。盘外壁对应浅刻十六组杂宝，计有珊瑚、象牙、犀角、双钱、方胜等宝物。置于几形托座之上。釉层肥厚，釉质缜密，釉色莹润，应为龙泉之上品。大盘直径超过60厘米，形制极为壮观。此类大盘器型始于元代，非中国传统瓷器造型，而与中西亚陶制和金属制大盘十分相似，应为适应中西亚伊斯兰国家需要所制，是当地贵族围坐吃抓饭之宴饮佳器。元代至明初中西海陆文化贸易交通发达，永乐朝郑和下西洋，极一时之盛，故此器不但是陶瓷史中的重器，也堪称中西文化交流的宝贵见证。

金　　钩窑罐

估　价：RMB 150,000-200,000

成交价：RMB 165,000

尺　寸：直径 21 cm

2005.5.15　2065

直口，鼓腹，宽圈足。天蓝色釉，腹部有一片玫瑰紫釉斑，腹部内凹瓜棱装饰，别致清新，是金代钧窑的上乘之作。

清嘉庆 炉钧釉双耳瓶
估　价：RMB 50,000-70,000
成交价：RMB 132,000
尺　寸：高 23.5 cm
2006.6.3　1852

“大清嘉庆年制”六字三行篆书款，嘉庆本朝。撇口，短颈，椭圆形腹，腹部两侧饰瓶形双耳，圈足。因其形似灯笼，故又有灯笼尊之称。通体施炉钧釉，釉色流淌自然，底部戳印“大清嘉庆年制”篆书款。

清康熙 青花人物罐

估　价：RMB 55,000-75,000

成交价：RMB 79,200

尺　寸：高 21.5 cm

2005.5.15　2066

罐直口，短颈，圆腹，近底微外撇，圈足。以青花为饰，颈部绘蕉叶纹，腹部通景绘人物故事图，周围衬有洞石花草。罐身胎体厚重，青花鲜艳，绘工细腻，为明末清初的典型式样。

清康熙 青花缠枝莲八宝纹盖罐

估　价：RMB 18,000-28,000

成交价：RMB 46,200

尺　寸：高 20.5 cm

2005.5.15　2067

罐直口，短颈，圆腹，近底微外撇，圈足。盖面拱起，子母口。以青花为饰，颈部绘如意云头纹，肩部采用蓝地白花手法绘如意云头，内绘折枝莲花，腹部绘八宝纹，近底绘折枝花一周，近底有暗刻弦纹。

清康熙 青花开光山水笔筒
估 价：RMB 220,000-280,000
尺 寸：**直径** 18.6 cm
2005.5.15 2071

笔筒直口，直壁，细砂底。筒身两组倭角形开光，内绘青花山水人物图，一面绘“渔人泛舟”，一面绘“倚杖前行”，开光间以青花花卉相间隔。青花发色鲜艳，富于层次。

清嘉庆 青花折枝花果纹蒜头瓶
估 价：RMB 200,000-300,000
成交价：RMB 220,000
尺 寸：高 28.2 cm
2006.6.3 1815

"大清嘉庆年制"六字三行篆书款，嘉庆本朝。瓶口呈蒜头形，长颈，垂腹，圈足微撇，造型秀巧。通体以青花装饰，自口沿饰回纹、缠枝菊纹、变形莲瓣纹、如意云头纹、折枝花卉纹、莲瓣纹、海水纹等八层纹饰，纹饰疏密得当，腹部绘寿桃、石榴、佛手纹，间绘折枝花果纹，纹饰绘画流畅，青花呈色艳丽。瓶底书"大清嘉庆年制"青花篆书款。青花折枝花果纹蒜头瓶是清代官窑的传统品种，乾隆、嘉庆、道光三朝多有烧制。日本出光美术馆旧藏。配日本包装。

清康熙 青花人物图碗一对

估　价：RMB 30,000-50,000 （2）

成交价：RMB 60,500

尺　寸：**直径** 10.6 cm

2005.5.15　2073

“大清康熙年制”六字二行楷书款，康熙本期。口沿微撇，深腹，圈足。碗心绘青花山水图，外壁绘青花人物故事图，并分别书“一个潜身曲槛中，一个背立湖山下”；“契兄万一无忘旧，早为兴师解倒悬”。均落“长松主人”。诗画结合，寓意深刻。

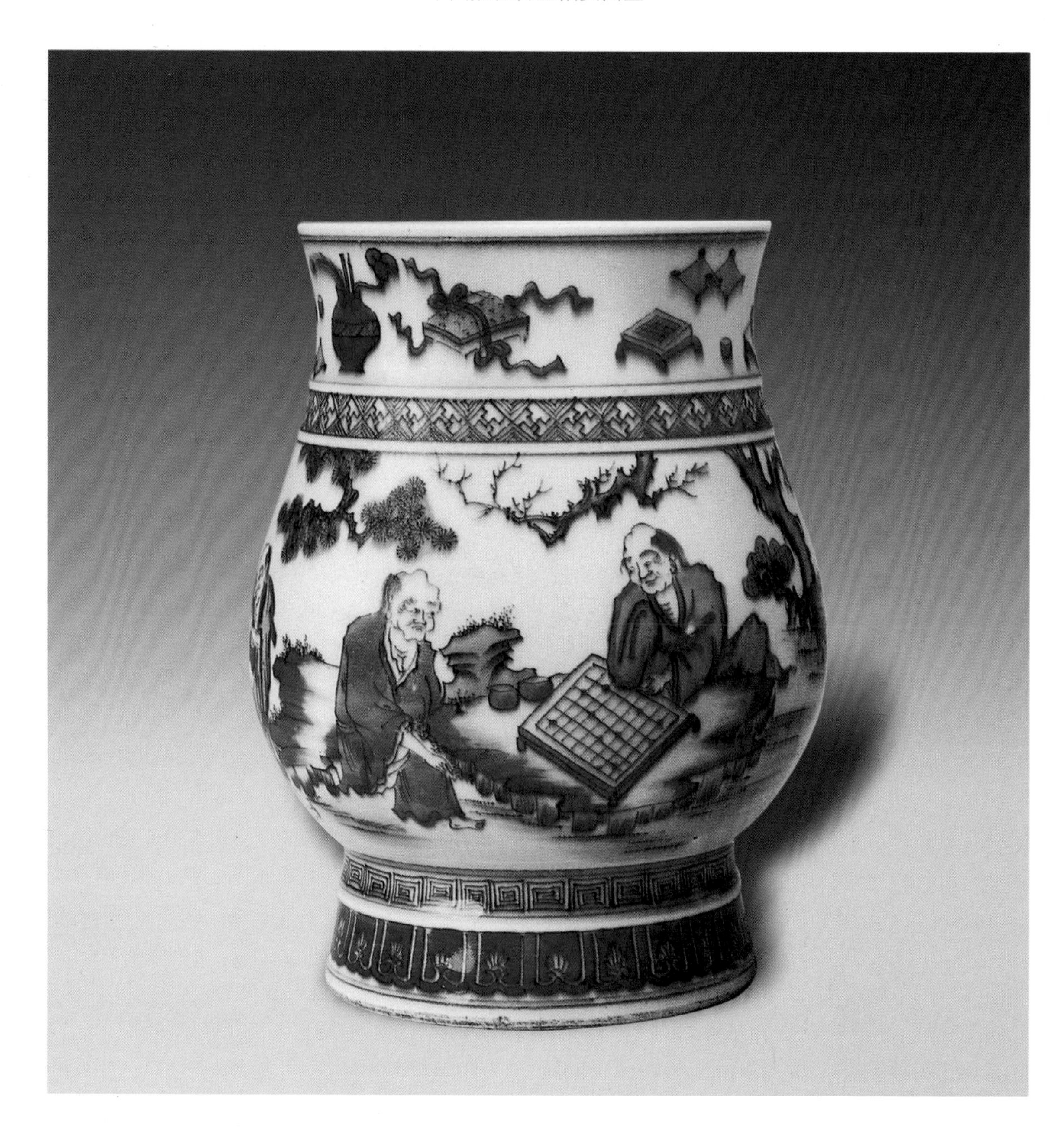

清康熙 青花山水人物敞口尊
估 价：RMB 130,000-150,000
尺 寸：高 21.5 cm
2005.5.15 2074

尊形秀巧雅致，圈足圆腹，束颈敞口。青花绘博古图及蕉叶纹为边饰，腹部绘五老图，散布亭台楼阁、山石树木之间，或拄杖前行，或二人对弈，或水边嬉戏，画工流畅，发色淡雅。

清康熙 青花岁寒三友图小缸
估 价：RMB 120,000-180,000
成交价：RMB 154,000
尺 寸：直径 23.5 cm
2005.5.15 2075

唇口内敛，腹下渐收。缸通身以青花绘松、竹、梅岁寒三友图，青花发色淡雅，构图疏朗，寓意高雅。

清康熙 青花山水人物炉
估 价：RMB 30,000-50,000
尺 寸：直径 24 cm
2005.5.15 2076

敞口，短颈，垂腹，圈足。颈部绘杂宝纹，通景绘青花山水人物图，远山近水，高士或垂钓，或泛舟，青花色泽明艳，绘画流畅。

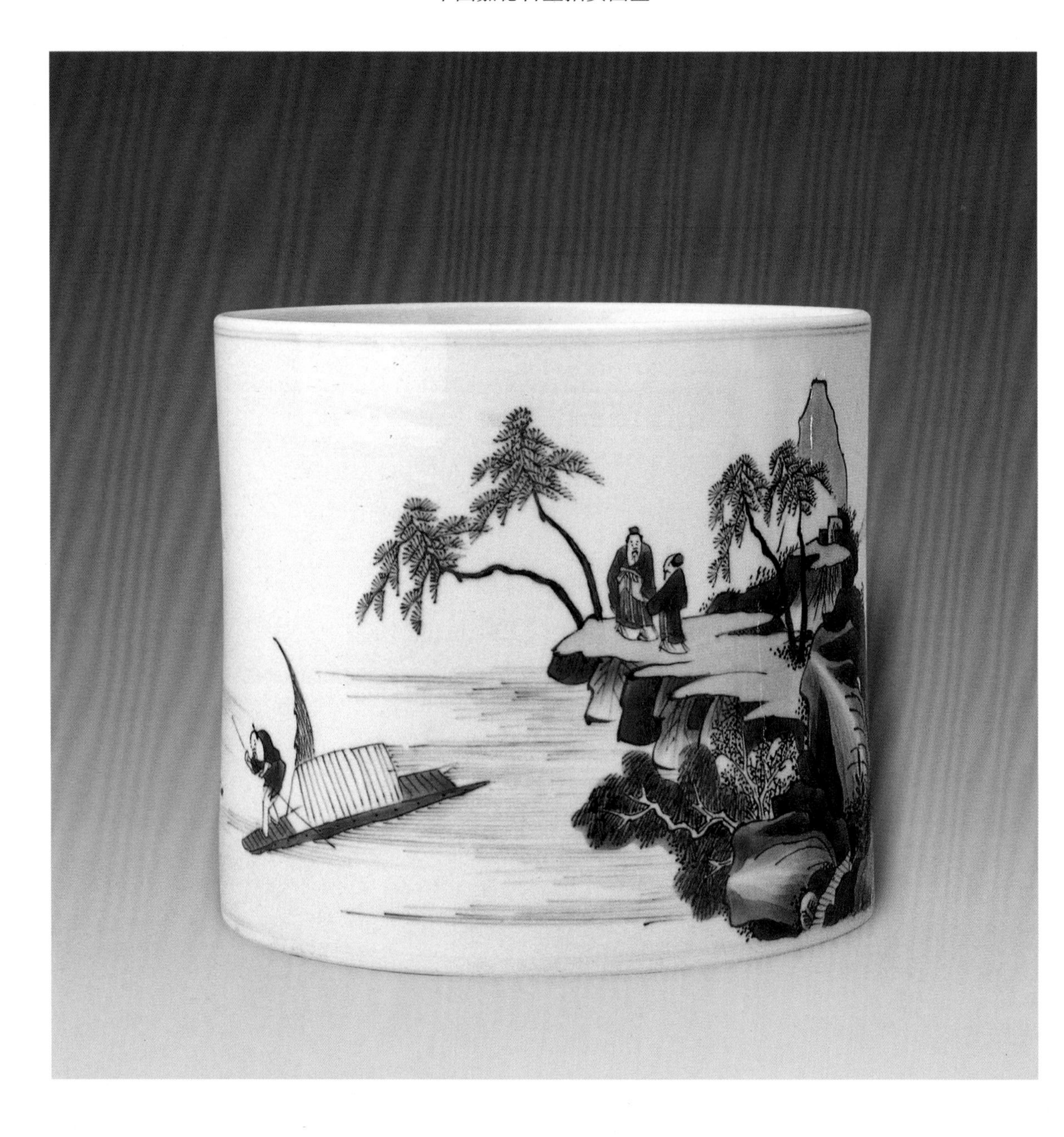

清康熙 青花山水人物笔筒
估 价：RMB 300,000-500,000
尺 寸：直径 16.7 cm
2005.5.15 2077

玉璧底，胎质缜密，细腻坚硬。通景以青花绘远山近水，山石嶙峋，古柏苍松，亭台楼阁散布其间，高士或崖边观海，或亭中休息，或携琴访友，或泛舟江上。布局疏密有致，人物生动有趣。青花发色层次清晰，色泽青翠。为康熙笔筒之精品，极为少见。旧配木座。

清康熙 青花开光人物笔筒
估 价：RMB 450,000-650,000
尺 寸：直径 19.4 cm
2005.5.15 2078

“文章山斗”四字二行楷书款，康熙时期。器形规整，胎质缜密，釉质洁白。内壁素白，外壁以青花绘三组图案，分别为山水人物图、高士琴棋书画图、花鸟博古图，图间有两组诗文相配，整体绘画细腻，青花发色典雅，脐状底落“文章山斗”青花款。

清康熙 青花十八学士图笔筒
估 价：RMB 150,000-200,000
尺 寸：直径 20 cm
2005.5.15 2079

口底相若，筒式腹，玉璧底，通体青花描绘了文人雅士在下棋、作诗、赏画、抚琴弹唱。文人衣着不同，神态各异，构图疏落有致，画面格调高雅，典型的康熙瓷器画风。底心绘一树叶花押款。有伤。

清康熙 豆青釉青花加白喜鹊登梅笔筒
估 价：RMB 45,000-65,000
尺 寸：直径 18.2 cm
2005.5.15 2080

直筒形笔筒，玉璧底。内施白釉，外壁通体施豆青釉，豆青釉地上绘青花喜鹊登梅图，绘画写意流畅，青花发色浓艳。

清康熙 青花八仙图凤尾尊

估 价：RMB 250,000-300,000

尺 寸：高 44.8 cm

2005.5.15 2081

在锦地开光内绘八仙图案（八仙指八位传说中的道教神仙，即汉钟离、吕洞宾、李铁拐、曹国舅、蓝采和、张果老、韩湘子、何仙姑），绘画工艺精湛，人物神态生动，青花发色纯正，是同类器中的精品。

清康熙 青花饕餮铺首耳大尊
估　价：RMB 550,000-750,000
成交价：RMB 605,000
尺　寸：高 57 cm
2005.5.15　2083

束颈敞口，鼓腹圈足。尊形壮硕。口沿、圈足饰蕉叶纹，肩部堆塑双铺首耳，腹部主题纹饰满绘饕餮纹，构图严谨，画工浓淡搭配相宜，深浅变化自如。瓷器仿铜器如此大件者较为少见，画工如此古朴典雅者则更为少见。

清康熙 青花蕉叶纹小花觚

估　价：RMB 6,000-8,000

成交价：RMB 33,000

尺　寸：高 24.2 cm

2005.5.15　　2084

花觚撇口，长颈，圆鼓腹，台阶式圈足。以青花为饰，颈与足上分绘上仰下覆蕉叶纹，腹部绘两组兽面纹。青花艳丽、明快，造型与纹饰均仿青铜式样。足内有青花双圈。

清康熙 青花花鸟图笔筒

估　价：RMB 30,000-50,000

成交价：RMB 44,000

尺　寸：高 15.8 cm

2005.5.15　2085

笔筒呈筒形，直壁，平底无釉露胎。外壁青花绘折枝花鸟纹，空间衬以洞石花卉。胎体薄厚适中，造型古朴，青花呈色鲜艳，采用工笔手法绘画，动静结合。

清康熙 青花五子登科图印盒
估 价：RMB 32,000-52,000
成交价：RMB 35,200
尺 寸：**直径** 11.5 cm
2005.5.15 2086

印盒上下相合。盒盖青花绘“五子登科”图，盒身绘洞石花卉纹，青花色泽典雅，是精巧的文房用品。

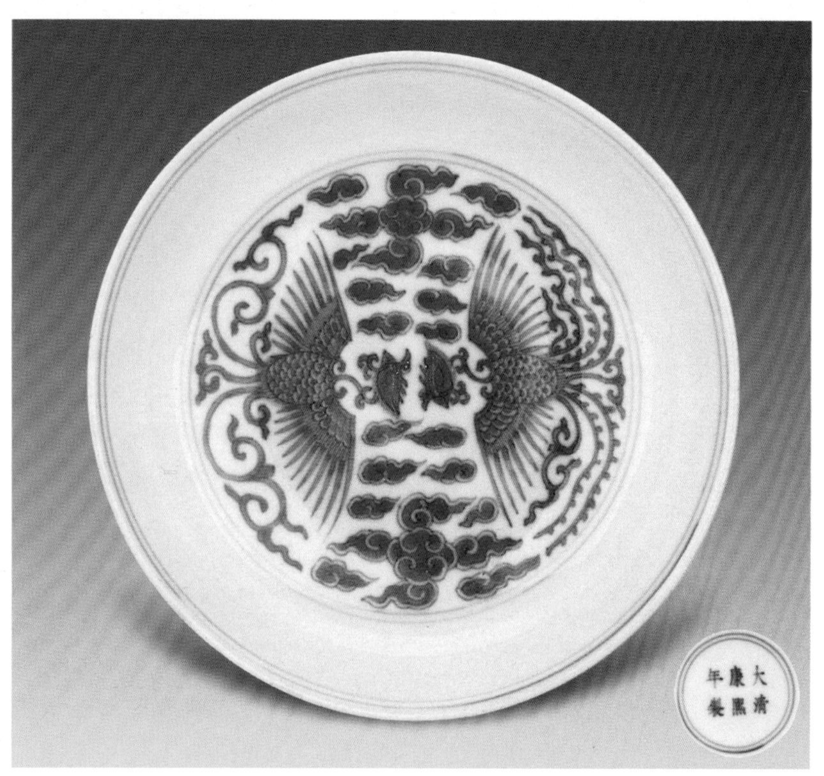

清康熙 青花双凤纹盘
估 价：RMB 35,000-55,000
成交价：RMB 38,500
尺 寸：**直径** 16.5 cm
2005.5.15 2089

“大清康熙年制”六字三行楷书款，康熙本朝。口沿微撇，胎体细腻。盘心青花双圈内饰对称青花双凤和祥云，盘外壁亦绘双凤，双凤间饰火焰纹。青花发色淡雅，以后历朝均有同样题材烧造。

清康熙 青花八仙人物图大碗
估 价：RMB 18,000-28,000
尺 寸：直径 20.3 cm
2005.5.15 2087

“大明嘉靖年制”六字二行楷书款，康熙时期。碗撇口，口沿施酱釉，深腹，圈足。里外以青花为饰，碗心绘寿星与梅花鹿一组，外壁八组如意形开光，其内分绘八仙人物，人物脚下踩有朵云。近底亦绘变形莲瓣纹一周。八仙祝寿在明、清青花瓷器是大量出现，画法各异，此碗无论是青花发色及画法上颇具时代特征。

清康熙 青花人物纹大碗
估 价：RMB 30,000-50,000
尺 寸：直径 20.4 cm
2005.5.15 2088

“大明宣德年制”六字二行楷书款，康熙时期。敞口，弧壁渐收，圈足。外壁通景绘青花《仕女游园图》，仕女穿梭于青松赤桂、鸟语花香的庭院之中，祥云缭绕。底落“大明宣德年制”楷书款，为清官窑仿明官窑之作，即所谓“官仿官”。其造型、纹饰效仿宣德青花器，青花发色青翠，富于层次。口磨，足小崩。

清道光 青花福寿纹双耳扁瓶
估　价：RMB 400,000-600,000
成交价：RMB 462,000
尺　寸：高 24.3 cm
2006.6.3　1818

"大清道光年制"六字三行篆书款，道光本朝。圆口外撇，短颈，颈饰双耳，扁圆腹，圈足。通体以青花装饰，口沿绘灵芝纹一周，颈部绘如意云头纹和缠枝花纹，前后腹部中心突起两桃形开光，开光内绘寿桃及蝙蝠纹，寓意"福寿双全"，周围环绕缠枝莲花。底落"大清道光年制"篆书款。

清光绪 青花云龙纹花盆一对
估 价：RMB 60,000-80,000
成交价：RMB 66,000
尺 寸：宽 21 cm
2006.6.3 1823

花盆折沿，深腹，腹部向内突起九棱，底部留有圆孔，器形周正。折沿处绘青花回纹一周，腹部通体绘二龙赶珠纹及海水江崖纹饰，青花发色青翠，绘画流畅。成对保存完好，较为难得。

清康熙 青花戏曲人物图小炉

估　价：RMB 20,000-30,000

成交价：RMB 30,800

尺　寸：**直径** 9.4 cm

2005.5.15　2091

“大明成化年制”六字二行楷书款，康熙时期。宽壁直口，下承三足，胎体厚重，釉色泛青。通景绘青花戏曲人物图，青花发色浓艳，在如此狭小的篇幅中绘画流畅连贯，人物神态生动，殊为难得。有小伤。

清雍正 青花山水围棋罐

估　价：RMB 30,000-50,000

成交价：RMB 110,000

尺　寸：**直径** 12 cm

2005.5.15　2093

“大明成化年制”六字二行楷书款，雍正时期。胎体坚致，白釉温润。外壁通体绘江南风景：浮图水榭，远山近水，渔人独钓，画意高远，层次清晰。配木质盖、托。

清同治 青花龙纹小缸
估 价：RMB 120,000-180,000
成交价：RMB 242,000
尺 寸：宽 23 cm
2006.6.3 1822

“同治年制”四字二行楷书款，同治本朝。形制规整，做工精细。胎质细腻，白釉滋润。外壁绘海水龙纹，翻转腾挪，气势凶猛，足部绘海水波涛纹。

清雍正 青花花卉纹盘
估　价：RMB 80,000-120,000
成交价：RMB 90,200
尺　寸：直径 21 cm
2005.5.15　2094

“大清雍正年制”六字二行楷书款，雍正本期。盘敞口，弧壁，圈足。内壁素白，外壁以青花为饰，分绘折枝牡丹、梅花、菊花各一组。此盘形体规整，纹饰绘工精细，布局疏密有致，为雍正官窑青花的上乘之作。足内有青花双圈“大清雍正年制”六字楷书款。

清康熙 青花缠枝花卉纹小瓶
估　价：RMB 30,000-50,000
成交价：RMB 33,000
尺　寸：高 9 cm
2005.5.15　2095

“大清雍正年制”六字二行楷书款，雍正本朝。唇口，短颈，椭圆形腹，圈足。通体绘青花缠枝花卉，青花淡雅，绘画流畅。口小崩。

清雍正 青花山水人物花觚
估　价：RMB 20,000-30,000
成交价：RMB 96,800
尺　寸：高 26.5 cm
2005.5.15　2092

“大明成化年制”六字三行楷书款，雍正时期。撇口，鼓腹，圈足外撇，花觚形制，小器大样。口沿绘一周松竹梅三友图，花觚上中下三部分分绘高士对弈图、松下交谈图和携琴访友图，画意生动，别具一格。

清康熙 洒蓝釉描金魁星点斗图笔筒
估 价：RMB 45,000-65,000
成交价：RMB 49,500
尺 寸：**直径** 17.6 cm
2005.5.15 2098

笔筒直壁，玉璧底。内施白釉，外施洒蓝釉，釉色均匀，筒身两面开光，分别绘金彩魁星点斗图和山水人物图，绘画精细，金彩艳丽。

清康熙 祭蓝釉描金山水人物图瓶

估 价：RMB 500,000-250,000

尺 寸：高 45 cm

2005.5.15 2099

撇口，短颈，丰肩，鼓腹渐收，圈足。通体施祭蓝釉，颈部倭角形开光，内绘描金山水图，腹部通景亦以描金绘山水人物图，或江中泛舟，或亭间赏景，或江边交谈，纹饰华丽，意境优雅。

清乾隆 淡绿釉矾红五蝠盖碗
估　价：RMB 80,000-120,000
成交价：RMB 572,000
尺　寸：宽 12.6 cm
2006.6.3　1854

“大清乾隆年制”六字三行篆书款，乾隆本期。碗盖拱顶，抓钮中空。碗身撇口，深弧壁，圈足。外壁均施淡绿釉，色泽娇嫩，盖与碗身内壁施白釉，分别以矾红彩绘五蝠纹，五蝠姿态各异，笔触纤细。盖钮与碗足内均落“大清乾隆年制”六字三行篆书款。清代瓷器上流行用蝙蝠装饰，这是因为“蝠”与“福”谐音，用五只蝙蝠装饰，即寓意“五蝠临门、五蝠捧寿”之美好寓意。

清雍正 祭蓝釉盘
估 价：RMB 5,000-35,000
尺 寸：**直径** 15.7 cm
2005.5.15 2100

“大清雍正年制”六字二行楷书款，雍正本朝。口沿外撇，盘形周正。内壁素白，外壁施祭蓝釉，釉色均匀。

清乾隆 祭蓝釉盘一对
估 价：RMB 40,000-60,000 （2）
成交价：RMB 63,800
尺 寸：**直径** 24 cm
2005.5.15 2101

“敬畏堂制”四字二行楷书款，乾隆时期。盘形周正，内壁施白釉，外壁施祭蓝釉，釉色纯正凝厚。底落“敬畏堂制”青花楷书堂号款。

明宣德 豆青釉菱口小碟
估　价：RMB 90,000-130,000
成交价：RMB 99,000
尺　寸：**直径** 8.7 cm
2005.5.15　2102

“大明宣德年制”六字二行楷书款，宣德本朝。撇口，浅腹，折胫，浅圈足。内心青花“大明宣德年制”六字楷书款。釉色均匀，釉质莹润，是宣德青釉瓷中的佳作。

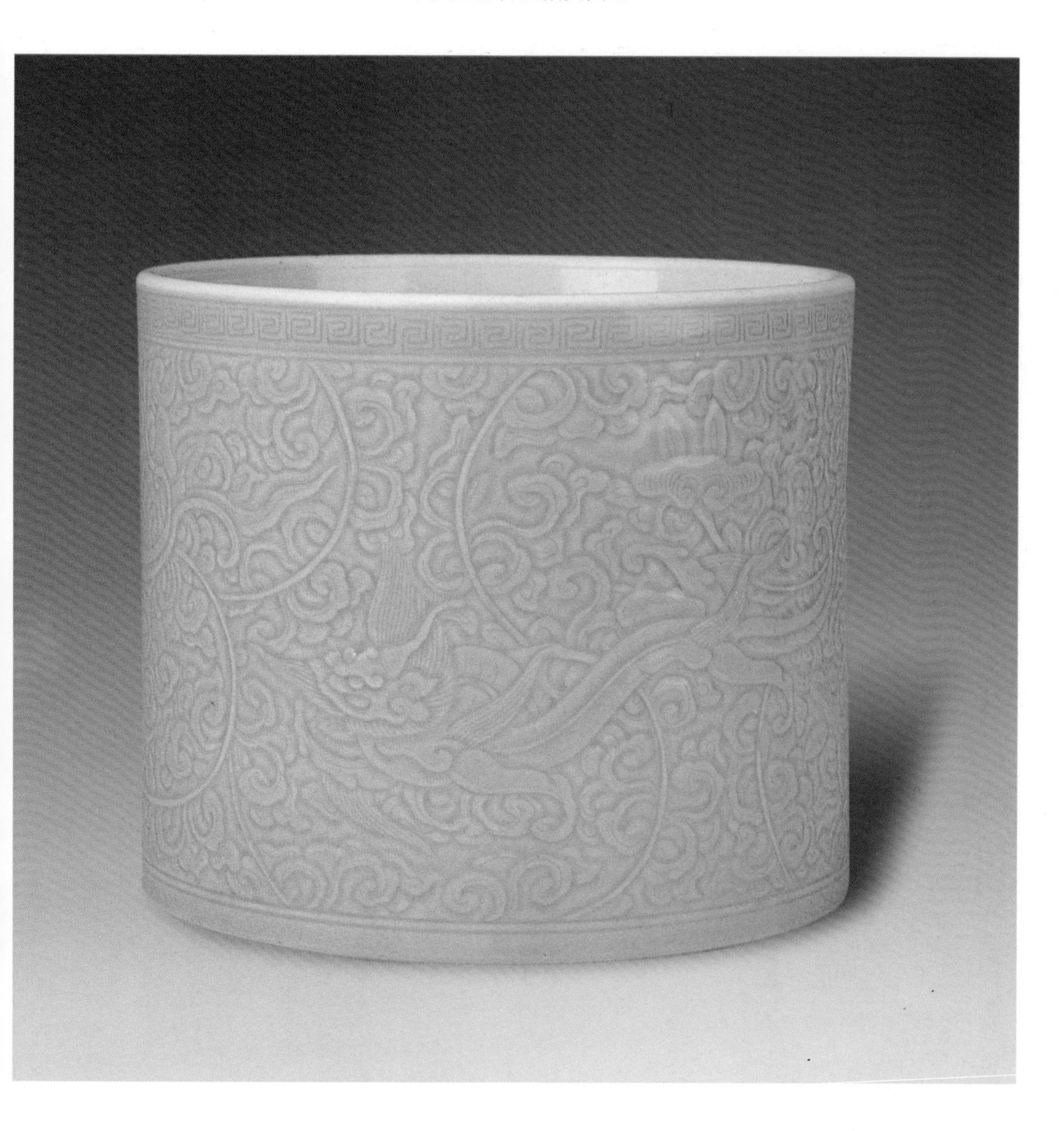

清康熙 豆青釉刻龙纹笔筒
估 价：RMB 40,000-60,000
成交价：RMB 330,000
尺 寸：直径 17.8 cm
2005.5.15 2103

“文章山斗”四字二行楷书款，康熙时期。形制周正，玉璧底。胎质细腻缜密，内壁施白釉，外壁满刻缠枝花卉纹、灵芝纹和螭龙纹，口沿刻回纹边饰。通体构图繁密，雕琢精致流畅。白釉底书青花“文章山斗”青花款，书法规矩。底小伤。

清乾隆 青釉暗刻团花碗

估　价：RMB 40,000-60,000

尺　寸：**直径** 15 cm

2005.5.15　2104

“大清乾隆年制”六字三行篆书款，乾隆本朝。口沿外撇，斜腹，圈足。内外皆施豆青釉，釉色均匀，外壁釉下浅刻六组缠枝花卉，刻画精细。碗心有惊釉。

清乾隆 豆青釉暗刻花纹碗

估　价：RMB 40,000-60,000

成交价：RMB 63,800

尺　寸：**直径** 26.2 cm

2005.5.15　2105

“大清乾隆年制”六字三行篆书款，乾隆本朝。此类碗的斜腹造型，源自宋代的斗笠碗。清代乾隆时期将斗笠碗的口沿改做花口折沿的造型，并将圈足的比例稍加放大，形成了这种折沿花口碗。碗内外皆施豆青釉，釉下暗刻纹饰，刻画精细流畅。

清康熙 天蓝釉刻龙纹小缸
估　价：RMB 15,000-20,000
成交价：RMB 352,000
尺　寸：直径 21.5 cm
2005.5.15　2106

“宣和年制”四字二行楷书款，康熙时期。小缸折沿，腹部浑圆。内壁素白，口沿处绘一周青花折线纹，外壁通体施天蓝釉，釉下刻海水云龙纹，龙纹气势凶猛，釉色均匀。底落“宣和年制”青花款。

清雍正 粉青釉印花碗
估　价：RMB 20,000-30,000
成交价：RMB 38,500
尺　寸：直径 12 cm
2005.5.15　2107

“大清雍正年制”六字二行楷书款，雍正本朝。碗敞口，深腹，圈足。里外满施粉青釉，釉色匀净细腻，外壁近底处凸起变形莲瓣纹一周。此碗胎体薄厚适中，口与足径相应加大，呈墩式，为雍正瓷器的典型式样。足内有青花双方框“大清雍正年制”六字楷书款。口小伤。

清乾隆 仿哥釉根形笔筒
估　价：RMB 20,000-30,000
成交价：RMB 101,200
尺　寸：直径 19.5 cm
2005.5.15　2112

笔筒仿树根形，随形而琢，古朴雅致。内外施哥釉，金丝铁线，开片自然。瓷胎缜密，手感极佳。

清咸丰 哥窑贯耳方瓶
估　价：RMB 80,000-120,000
成交价：RMB 451,000
尺　寸：高 31.2 cm
2005.5.15　2113

“大清咸丰年制”六字二行楷书款，咸丰本朝。器形庄重沉稳，古朴大方。内外以仿哥釉装饰，釉质肥厚，釉色均匀，开片疏密得当。此品种为清代传统品种，惟咸丰朝短暂，又因连年动乱，故官窑传世品十分少见。

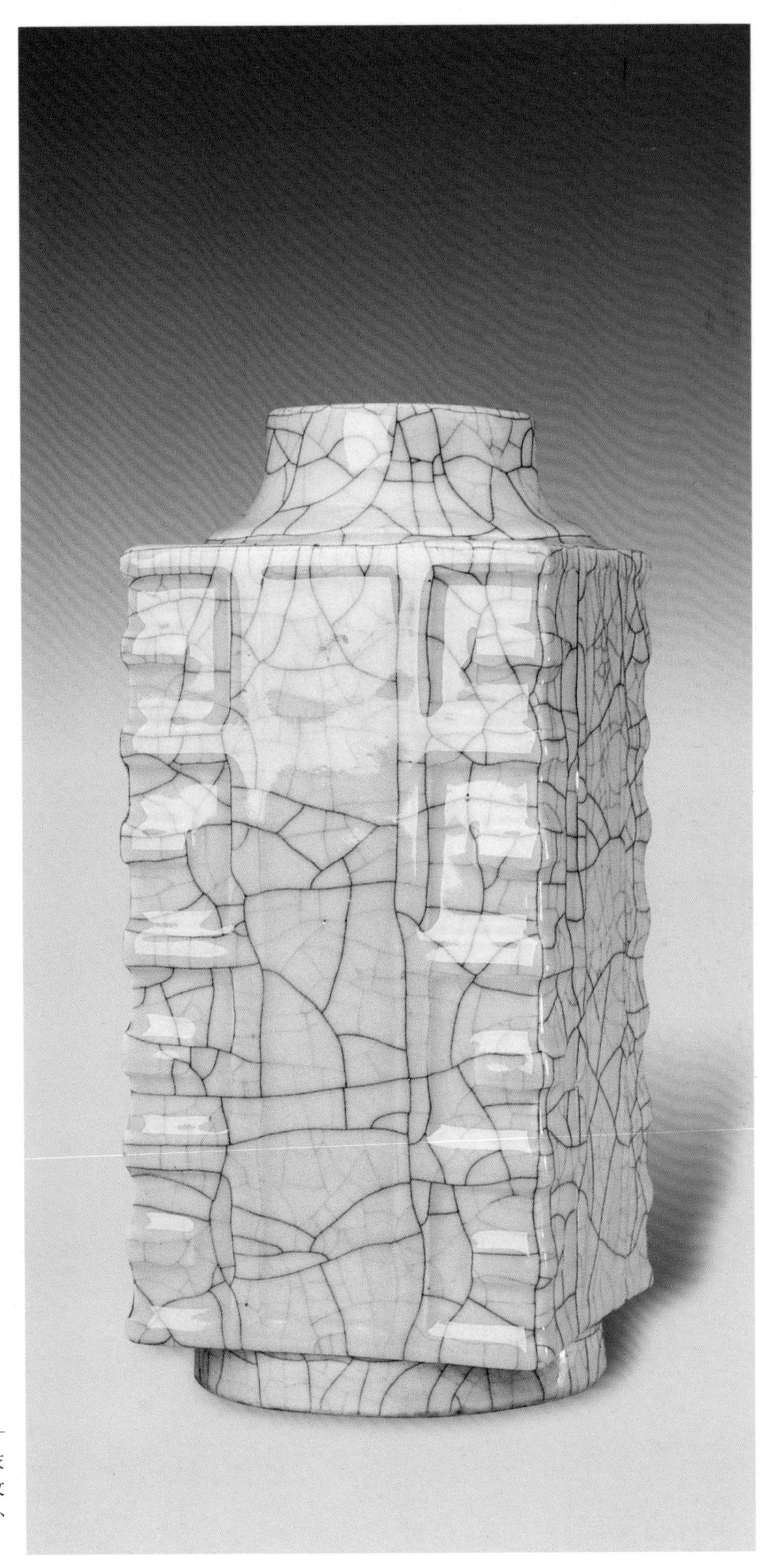

清雍正 仿哥釉四方瓶

估　价：RMB 160,000-220,000

成交价：RMB 220,000

尺　寸：高 35.3 cm

2005.5.15　2109

瓶体仿琮式瓶式样，圆口圈足，灰青釉上布满细密开片，深浅开片纹就如“金丝铁线”，釉质肥厚，古朴典雅。

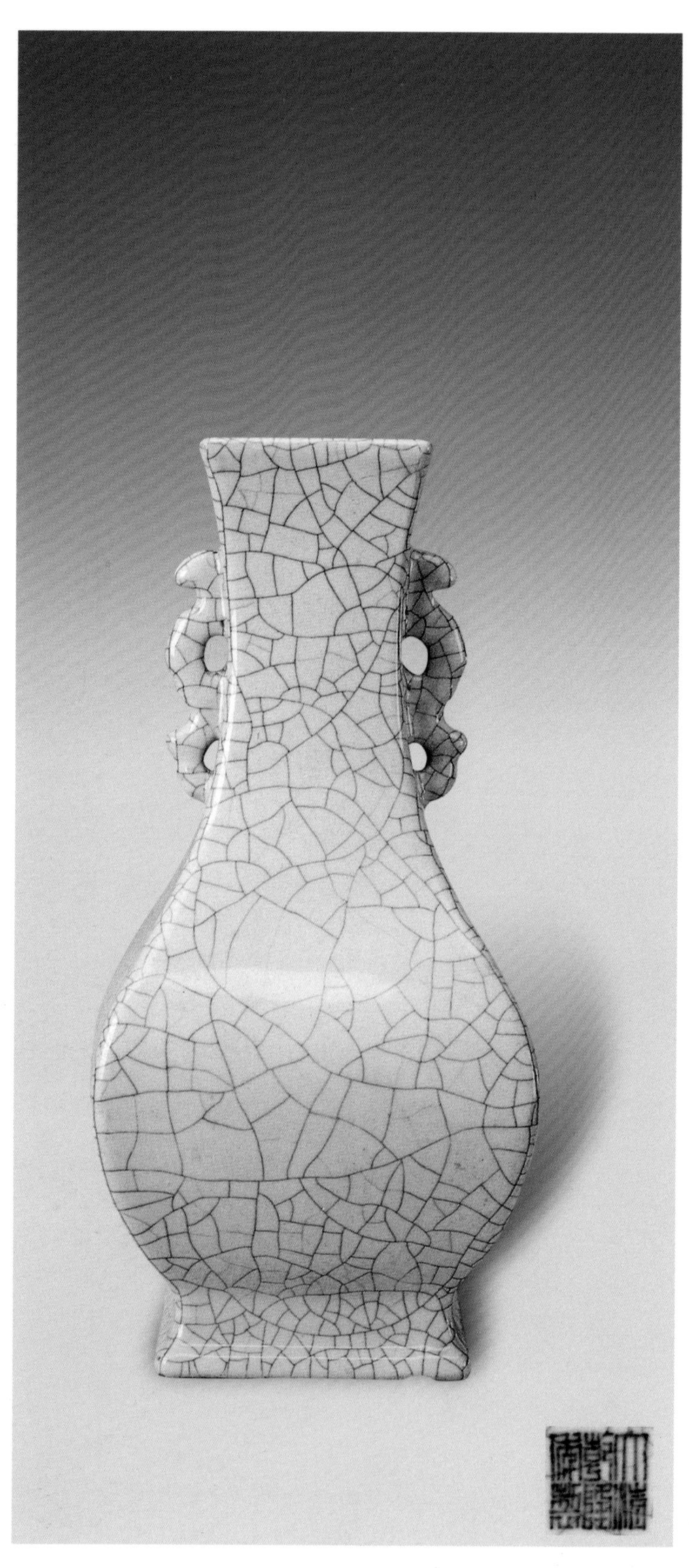

清乾隆 仿哥釉双耳瓶

估　价：RMB 50,000-70,000

成交价：RMB 220,000

尺　寸：高 34.5 cm

2005.5.15　2110

“大清乾隆年制”六字三行篆书款，乾隆本朝。瓶方口外撇，长颈，颈饰对称双螭耳，方腹，方圈足外撇，足边露出黑褐色胎骨。通体施仿哥釉，并有冰裂纹片。此瓶仿古铜器式样，形体端庄古朴，釉面莹润光亮，足内有青花篆书“大清乾隆年制”六字款。足小崩，有修。

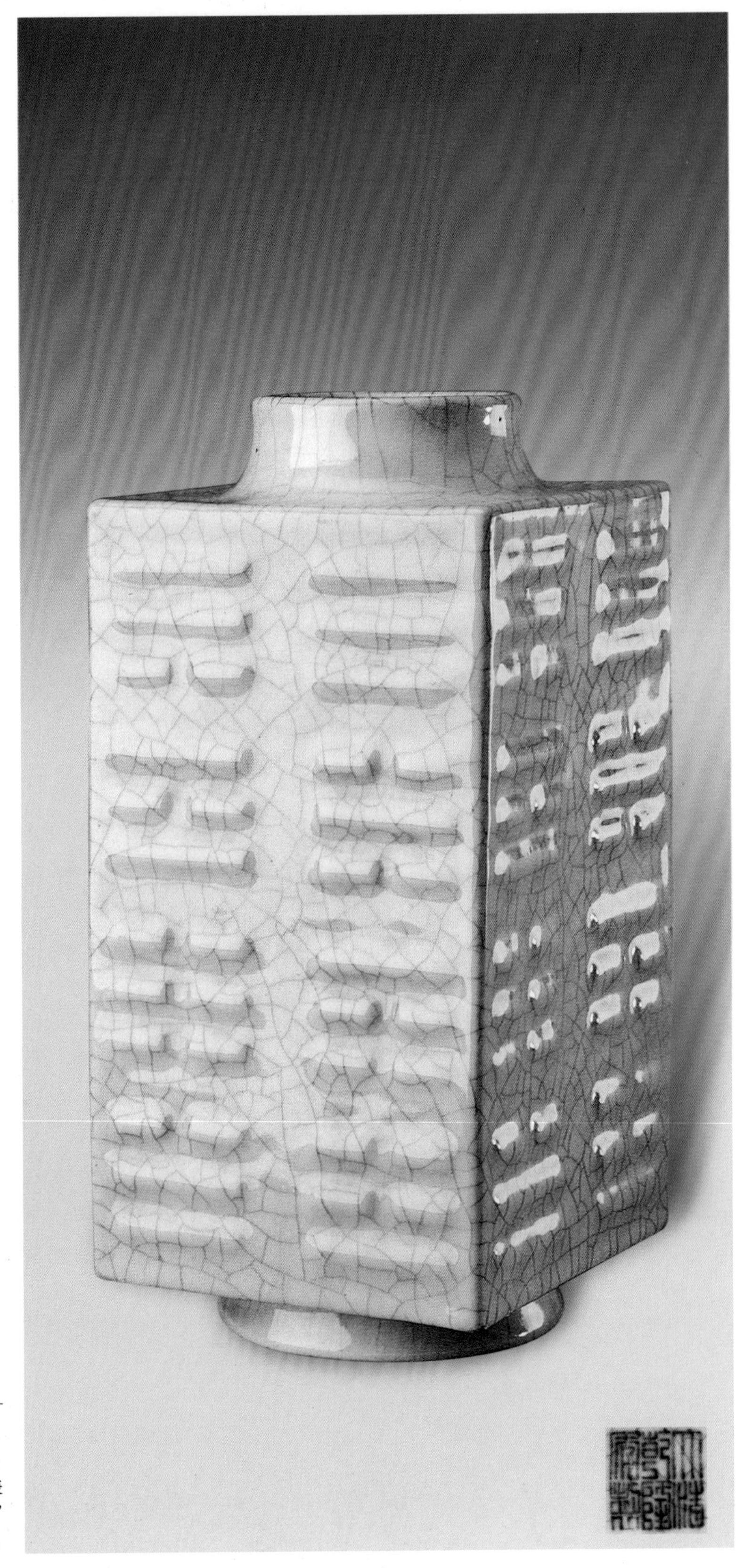

清乾隆 仿哥釉琮式瓶

估　价： RMB 120,000-180,000

成交价： RMB 198,000

尺　寸： 高 28 cm

2005.5.15　2111

“大清乾隆年制”六字三行篆书款，乾隆本朝。琮式方瓶，瓶身模印八卦纹，通体施灰青色釉，釉质凝厚滋润，釉表布满细密的开片。底落“大清乾隆年制”青花篆书款，为乾隆仿哥釉的标准器。

清乾隆 炉钧釉锥把瓶

估 价：RMB 25,000-35,000

成交价：RMB 33,000

尺 寸：高 18.5 cm

2006.6.3 1850

圆口细长颈，垂腹，圈足，瓶形秀美挺拔。通体施炉钧釉，釉色流淌自然。配木座。

清乾隆 炉钧釉小瓶

估 价：RMB 28,000-38,000

成交价：RMB 198,000

尺 寸：高 28 cm

2006.6.3 1851

唇口直颈，垂腹圈足。通体施炉钧釉，釉色流淌自然，炉钧釉烧於雍正朝，盛行於乾隆朝，是清代的传统品种。

清乾隆　窑变釉蒜头瓶
估　价：RMB 450,000-650,000
成交价：RMB 495,000
尺　寸：高 38.8 cm
2005.5.15　2115

"大清乾隆年制"六字三行篆书款，乾隆本朝。蒜头形瓶口，细颈修长，造型俊美，月白与蓝色交织在一起，形成了万千变化、美丽异常的窑变釉。底部于酱色釉上印"大清乾隆年制"六字篆书款。

清乾隆 窑变釉锥把瓶

估　价：RMB 50,000-70,000

成交价：RMB 55,000

尺　寸：高 48 cm

2005.5.15　2116

直颈溜肩，垂腹圈足，器形端庄典雅。外壁满施窑变釉，色彩斑斓，变化万千。足有崩。

清乾隆 窑变釉锥把瓶

估 价：RMB 120,000-160,000

尺 寸：高 48 cm

2005.5.15 2117

“大清乾隆年制”六字三行篆书款，乾隆本朝。瓶呈胆式，长头，圆腹下垂，圈足。通体施窑变釉，釉变莹润，红、蓝两色自然交融。窑变釉是雍正时期创烧仿宋钧窑的一个新品种。胆式瓶是这一时期较有代表性的造型。瓶底刷一层浆胎釉，刻阴文“大清乾隆年制”篆书款。

清光绪 窑变釉贯耳瓶
估　价：RMB 30,000-50,000
成交价：RMB 71,500
尺　寸：高 30 cm
2005.5.15　2118

“大清光绪年制”六字二行楷书款，光绪本朝。扁方形瓶体，侧饰贯耳，腹部凸起杏圆状装饰。器身满饰变釉，釉质自然流淌，为清代官窑瓷器传统品质。足小崩。

清光绪 窑变釉贯耳瓶
估　价：RMB 25,000-35,000
成交价：RMB 74,800
尺　寸：高 30 cm
2005.5.15　2119

“大清光绪年制”六字二行楷书款，光绪本朝。唇口丰肩，线条流畅，造型优美。月白、蓝、紫与红色交织在一起，形成了万千变化、美丽异常的窑变釉，是清代仿宋钧的一个新品种。釉表有细密自然的冰裂现像。

清雍正 祭红釉盘
估　价：RMB 18,000-28,000
成交价：RMB 19,800
尺　寸：**直径** 16.4 cm
2005.5.15　2121

“大清雍正年制”六字二行楷书款，雍正本朝。盘形规整，内外满施祭红釉，颜色浓艳均匀，底落“大清雍正年制”青花官窑款。

清乾隆 祭红釉盘两只
估　价：RMB 15,000-20,000 （2）
成交价：RMB 30,800
尺　寸：**直径** 16.5 cm
2005.5.15　2122

“大清乾隆年制”六字三行篆书款，乾隆本期。敞口浅盘，圈足。内壁施白釉，外壁施祭红釉，釉色纯正。

清乾隆 仿汝釉琮式瓶

估　价：RMB 50,000-70,000
成交价：RMB 132,000
尺　寸：高 27.6 cm
2006.6.3　1795

“大清乾隆年制”六字三行篆书款，乾隆本朝。圆口，口沿微撇，短颈，长方形腹，圈足外撇。通体施仿汝釉，开片细密，腹部模印八卦纹饰。底落“大清乾隆年制”青花款。

清道光 仿哥釉贯耳瓶

估　价：RMB 80,000-120,000
成交价：RMB 104,500
尺　寸：高 31 cm
2006.6.3　1796

“大清道光年制”六字三行篆书款，道光本朝。扁方形瓶体，侧饰贯耳一对，腹部突起杏圆状装饰。器身通体施仿哥釉，釉面布满大小开片。为清代宫窑传统品种。

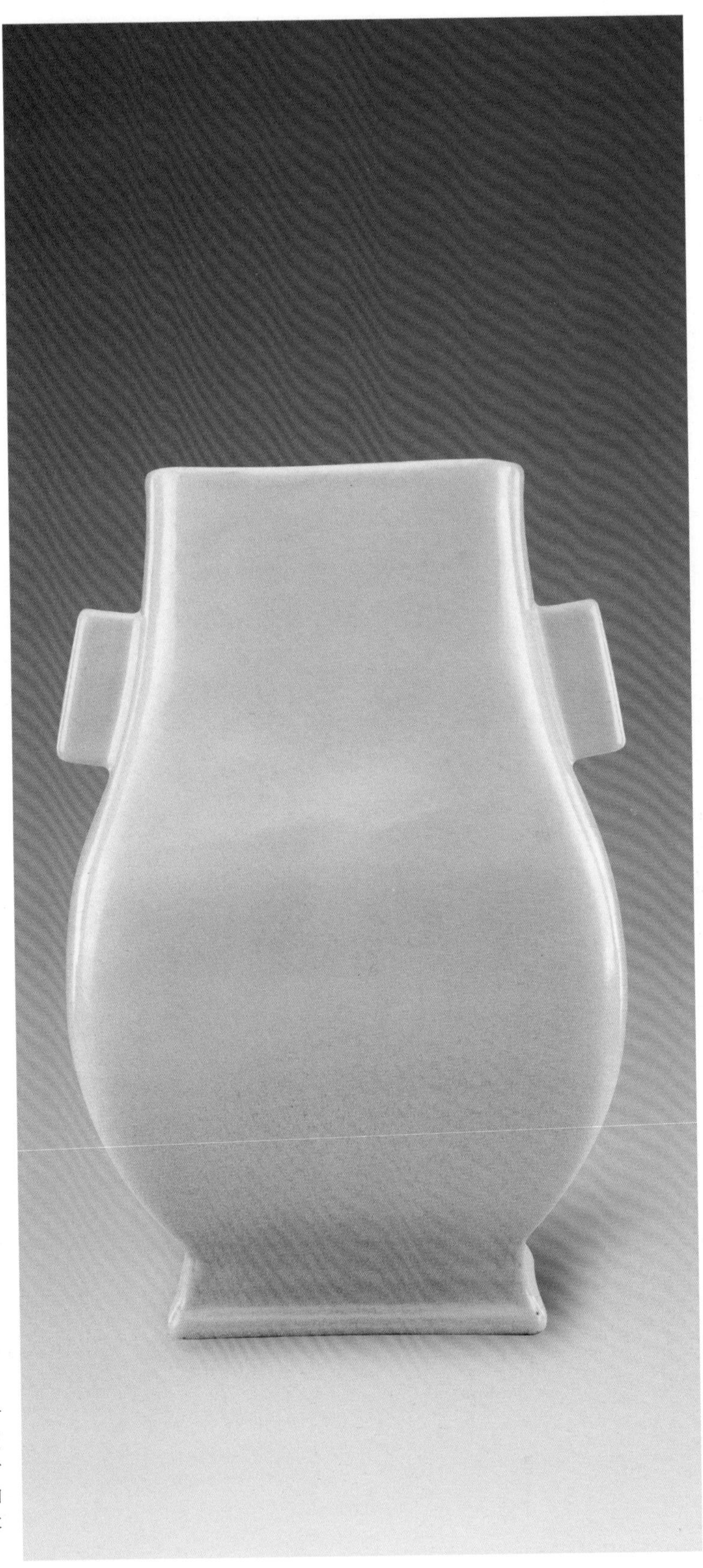

清雍正 仿汝釉贯耳大方瓶
估 价：RMB 100,000-150,000
成交价：RMB 198,000
尺 寸：高 48.5 cm
2006.6.3 1790

"大清雍正年制"六字三行篆书款，雍正本朝。直口，溜肩，垂腹，高圈足，颈置对称方形贯耳，器形状硕。通体施仿汝釉，釉质莹润肥厚，器身布满细小开片。底部"大清雍正年制"青花篆书款。

明万历 青花瓷塑真武大帝
估　价：RMB 65,000-85,000
成交价：RMB 71,500
尺　寸：高 24.8 cm
2005.5.15　1999

真武大帝是端坐之态，身穿龙袍，右手执法器，左手放于膝上，双目微垂，神态安详，十分传神。通体以青花为饰。明代晚期瓷塑十分流行，此外常见达摩、罗汉、观音等人物，神情动态刻画生动。

清　　德化白釉雕关公像

估　价：RMB 15,000-20,000
成交价：RMB 63,800
尺　寸：高 44.5 cm
2005.5.15　2124

“许云麟制”四字二行篆书款，清代。关公像瓷质缜密，釉色白润，关公着虎头巾，宽袍玉带。关公面相庄严，五绺长髯，飘洒自如，衣褶婉转流畅。背刻“德化”葫芦形章及“许云麟制”篆书方章。手指、冠顶小伤。许云麟(1887–1920)，名友义，德化县人，著名德化瓷雕艺术家。

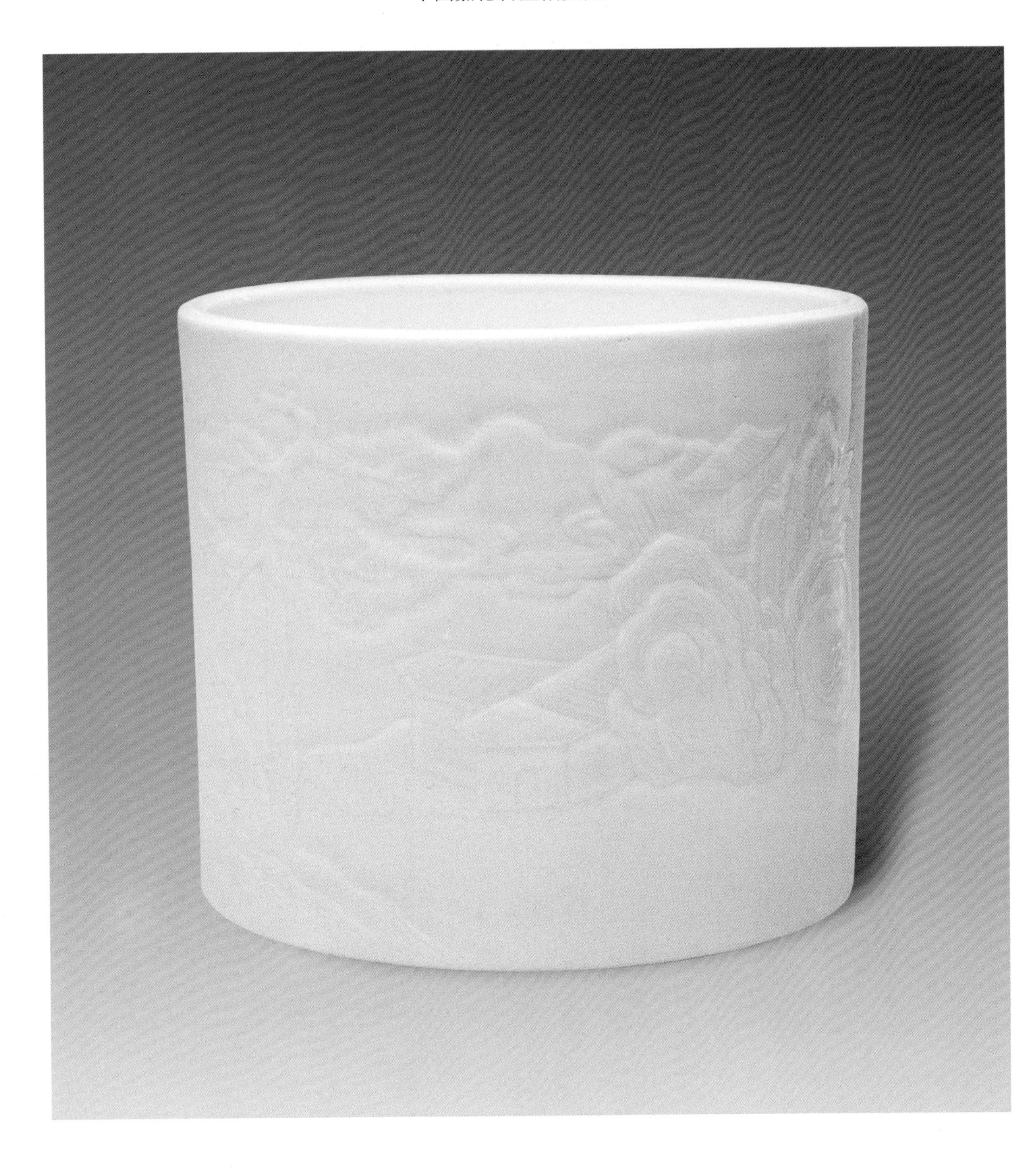

清康熙 白釉浅浮雕山水图笔筒
估　价：RMB 200,000-250,000
成交价：RMB 220,000
尺　寸：直径 17.5 cm
2005.5.15　2125

“大清康熙年制”六字二行楷书款，康熙本朝。

笔筒瓷质缜密，胎体细腻，釉色白中闪青。笔筒外壁浅浮雕亭台楼阁，翠柏苍松，远山迈水，一高士江边垂钓。整体图布局疏朗，浅浮雕细腻流畅，疏朗典雅。玉璧底，书青花“大清康熙年制”六字二行楷书款。康熙笔筒以青花为常见，白釉浅浮雕则十分少见。底有惊釉。

明中期 白釉象耳炉
估 价：RMB 50,000-70,000
尺 寸：**直径** 26.5 cm
2005.5.15 2126

炉直口，圆腹，腹两侧饰对称双象耳，圈足。造型古朴凝重，通体施白釉，釉面光洁温润。

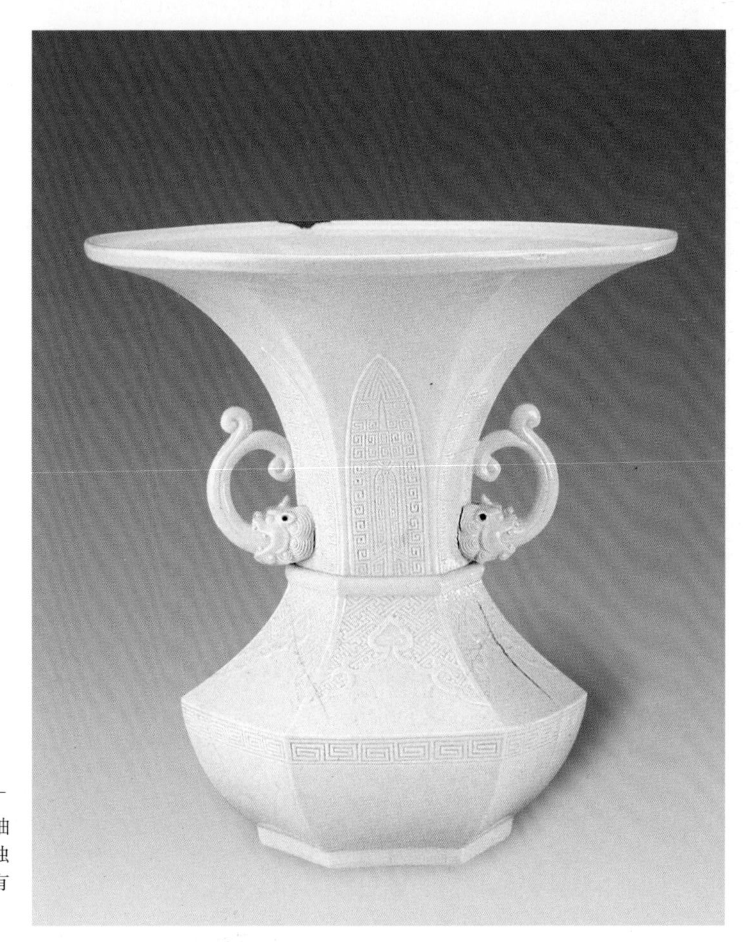

清康熙 白釉印花双兽耳敞口瓶
估 价：RMB 20,000-30,000
成交价：RMB 41,800
尺 寸：**高** 31 cm
2005.5.15 2127

瓶身为六方形，胎质缜密，瓷质厚重。釉色白润，瓶身刻卷草纹、蕉叶纹，两侧塑独角兽首耳，瓶口大外翻，该瓶器形别致。有窑缝及修。

清乾隆 青花缠枝莲纹双耳瓶

估　价：RMB 120,000-180,000

成交价：RMB 1,925,000

尺　寸：高 35 cm

2005.5.15　2129

“大清乾隆年制”六字三行篆书款，乾隆本朝。瓶撇口，短颈，颈饰对称双贯耳，圆腹渐收，圈足。以青花为饰，口沿与近底处分绘如意云头与蕉叶纹边饰各一周，颈、腹满绘缠枝莲花。此瓶造型端庄典雅，青花呈色艳丽，花纹布局工整，描绘细腻，是一件典型的宫廷陈设瓷。足内有青花篆书“大清乾隆年制”六字款。口有修。

清乾隆 青花鹤鹿同春图瓶
估 价：RMB 150,000-200,000
成交价：RMB 220,000
尺 寸：高 38 cm
2005.5.15 2130

瓶自上而下有七层图案，口至颈部分别饰如意头纹、云蝠纹、折枝桃纹及云鹤纹，腹部由蝙蝠、双鹿、松柏组成的松鹿长寿图，足胫绘一圈折枝桃纹和如意纹。釉色纯净明亮，青花发色青翠，画意高雅，技法精妙，为乾隆青花精品。口有修。

清乾隆 青花缠枝花纹贯耳瓶
估 价： RMB 250,000-300,000
成交价： RMB 1,320,000
尺 寸： 高 46cm
2005.5.15 2132

“大清乾隆年制”六字三行篆书款，乾隆本朝。器形古朴端庄，颈饰双耳。口沿绘一周回纹作为边饰，颈部饰海水纹使整体纹饰更具层次感，通体以青花缠枝莲纹装饰，青花发色纯正，是清代宫廷陈设用器。

清乾隆　青花双龙捧寿纹双耳一对

估　价：RMB 80,000-1,200,000 （2）

成交价：RMB 902,000

尺　寸：高 17.5 cm

2005.5.15　2133

“大清乾隆年制”六字三行篆书款，乾隆本朝。瓶呈葫芦式，束腰，两侧饰对称绶带耳，圈足，小器大样。以青花为饰，腹部两面均绘两条螭龙托团寿字，腹两侧绘花草，口与近底处绘变形如意头及回纹。此瓶为乾隆朝的创新式样，这种构图在乾隆官窑青花瓷器中比较少见，嘉庆朝也有烧造。足内有青花“大清乾隆年制”六字篆书款。一只口沿有惊釉。配木座。参阅：《宫廷珍藏——中国清代官窑瓷器》第 277 页。

清乾隆 青花山水诗文双耳瓶

估　价：RMB 60,000-80,000

成交价：RMB 66,000

尺　寸：高 50.1cm

2005.5.15　2131

瓶盘口，短颈，颈饰对称双螭耳，溜肩，圆腹，圈足。以青花为饰，腹部一面绘山水人物、楼阁，另一面楷书诗句一首，青花呈色有浓淡、深浅的层次变化，诗文流畅，字体工整，图文并茂。

清中期 白釉瓷簋
估　价：RMB 50,000-70,000
成交价：RMB 55,000
尺　寸：直径 28 cm
2005.5.15　2128

器形仿青铜器造型，盖与器身紧密相扣，盖与器身分别有双耳相配，规整端庄。白釉滋润，通体满雕纹样，其装饰图案全部模仿青铜器，纹饰雕刻精巧，形制独特，工艺精湛，是乾隆时期开始的仿古典型器。底有磨，有小伤。

清康熙 斗彩云龙纹碗
估　价：RMB 80,000-120,000
成交价：RMB 143,000
尺　寸：**直径** 14.2cm
2005.11.04　391

“大清康熙年制”六字三行楷书款，康熙本朝。碗呈墩形，深腹，圈足。碗心于青花双圈内绘青花夔龙穿花图案，外壁绘四组斗彩团龙戏珠纹，间以上下对称的“壬”字形云。底落“大清康熙年制”青花楷书款。此碗造型墩实，俗称“墩式碗”，是康熙瓷器中的传统造型。小冲。参阅：《故宫博物院藏文物珍品大系·五彩斗彩》第226页，图207。《上海博物馆藏康熙瓷图录》图159。

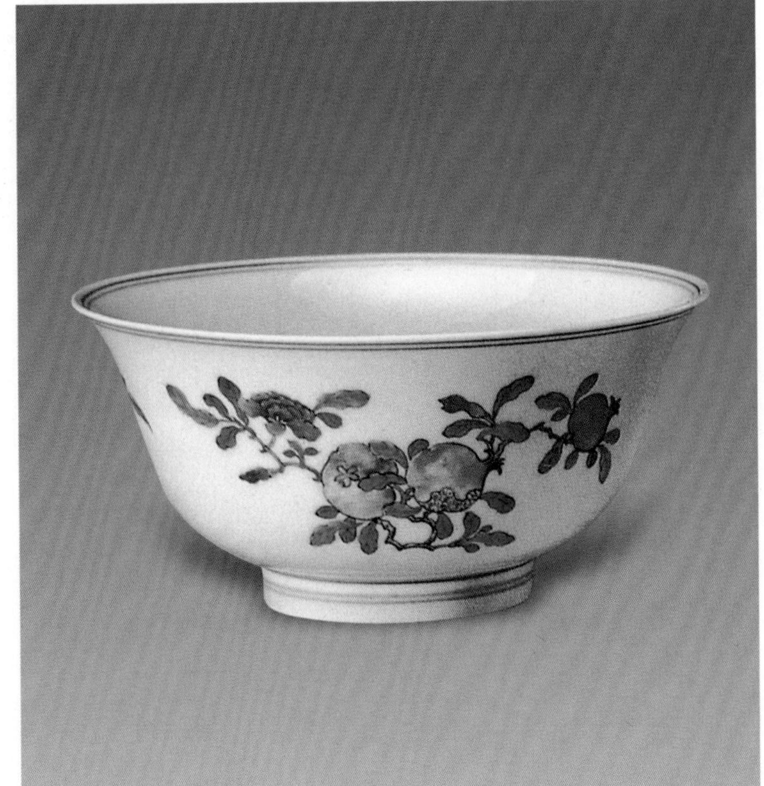

清雍正 斗彩三多纹碗一对
估 价：RMB 250,000-350,000 (2)
成交价：RMB 2,200,000
尺 寸：直径 16 cm
2005.11.04 392

“大清雍正年制”六字二行楷书款，雍正本朝。敞口，深腹，圈足，碗形秀美。外壁以青花勾线填彩绘石榴、佛手、荔枝三组图案，碗内心绘寿桃纹，寓有多福、多寿、多子孙的美好寓意，绘画精细流畅，色彩柔和典雅。此对碗较之以住常见的同类题材的纹饰更为精美细致，是不可多得的雍正官窑佳品。一只碗壁有伤。1999年香港苏富比曾有类似的拍品出现，并以506万元港币成交。

参阅：《苏富比30年》第187页，图189。

清雍正 斗彩山石花卉纹盘一对
估　价：RMB 500,000-700,000 (2)
成交价：RMB 2,970,000
尺　寸：**直径** 21 cm
2005.11.04　393

“大清雍正年制”六字二行楷书款，雍正本朝。盘形周正规整，制作精美。内外均施白釉，釉质细腻温润。盘心绘牡丹石富贵图，外壁绘两组牡丹、菊花图。以釉下青花绘山石并勾勒花卉枝叶，再以釉上红彩、黄彩、紫色填彩绘牡丹、菊花，深浅两色绿彩绘枝叶，花卉间飞舞着两只彩色蝴蝶，构图得当，笔触细腻，底落“大清雍正年制”青花官窑款。雍正官窑斗彩瓷器，无论从纹饰布局，色彩配合及填彩工艺等都达到了一个极高的水平，此对斗彩盘工艺精湛，纹饰秀美，色彩艳丽，成对保存完好，极为难得，堪称雍正官窑斗彩器的精品之作。

清雍正 斗彩缠枝花卉纹小盘

估　价：RMB 20,000-30,000

成交价：RMB 44,000

尺　寸：直径 10 cm

2005.11.04　394

“大清雍正年制”六字二行楷书款，雍正本朝。敞口浅盘，小巧精致。盘心以斗彩绘一组莲花图案，外壁斗彩绘缠枝花卉纹，笔触流畅，填彩精细。底落“大清雍正年制”青花款。口沿小磨。

清乾隆 斗彩缠枝花卉纹碗一对
估　价：RMB 200,000-300,000 (2)
尺　寸：直径 14.3 cm
2005.11.04　395

“大清乾隆年制”六字三行篆书款，乾隆本朝。敞口，深腹，圈足。内壁素白，外壁斗彩绘缠枝花卉纹，胫部饰一周如意云头纹。底落“大清乾隆年制”青花款，此对斗碗绘画流畅，填彩精细，色彩华丽，是乾隆斗彩官窑的典型器。

清乾隆 斗彩山石花卉纹盘
估 价：RMB 800,000-1,200,000
成交价：RMB 1,045,000
尺 寸：直径 20.6 cm
2005.11.04 396

"大清乾隆年制"六字三行篆书款，乾隆本朝。敞口，弧壁，圈足，盘形周正秀美。整体以斗彩装饰，盘心双圈内以青花勾边，内填红、黄、绿、白、赭石等色彩，描绘牡丹盛开、蝴蝶翩翩的景象，外壁一周绘各色菊花盛开的场景，蕴含"群仙拱寿""杞菊延年"的美好寓意，填彩精细，色彩淡雅。是乾隆时期难得的斗彩佳器。

清道光 斗彩花卉盘一对
估　价：RMB 15，000-25，000
成交价：RMB 27,500
尺　寸：直径 7.1 cm
2005.11.04　397

“嶰竹主人造”五字二行篆书款，道光时期。盘形小巧秀美，内壁以斗彩绘缠枝花卉，外壁以矾红填彩绘三组灵芝纹，底部落“嶰竹主人造”青花款。“嶰竹主人造”是道光时期的堂名款，落款瓷器以小件器为多。

清道光　斗彩云龙纹砚

估　价：RMB 30，000-50，000

成交价：RMB 52,800

尺　寸：直径 12.2 cm

2005.11.04　398

“道光庚寅古均阁许氏造”十字二行篆书款，道光时期。圆形盒砚，上下相合。盒面以斗彩绘立龙纹，周围衬以祥云火焰，边沿绘如意云头纹、海水纹。瓷砚底部墨彩书“道光庚寅古均阁许氏造”，庚寅年为道光十年（1830年），以落款显示，此应为私家定烧的文房器具，较为少见。

清乾隆 斗彩团菊纹小罐

估　价：RMB 150,000-200,000

成交价：RMB 165,000

尺　寸：高 11.5 cm

2005.11.04　399

“大清乾隆年制”六字三行篆书款，乾隆本朝。直口丰肩，腹下渐收，器形浑圆。肩及胫部以青花绘如意云纹边饰，罐身斗彩绘团菊、折枝莲花图案。纹饰规整，填彩精细。此为清代官窑仿明成化斗彩器的传统品种。

清康熙 青花鹤鹿同春图瓶

估　价：RMB 8，000-12，000
成交价：RMB 99,000
尺　寸：高 23.5 cm
2005.11.04　400

撇口束颈，肩部丰满，腹下渐收，圈足外撇，器形秀美。颈部绘一周纹饰，腹部通体绘青花鹤鹿同春图，衬以山石，青松、浮云。胎质致密，釉质白润，青花青翠。配老木座。

清康熙 青花人物图小梅瓶

估　价：RMB 15，000-25，000
成交价：RMB 38,500
尺　寸：高 18 cm
2005.11.04　401

小口，丰肩，腹下减收，器形俊秀。通体绘青花人物图，两高士交谈甚欢，一小童在后玩耍，其中一高士手指红日，面露微笑，蕴含“指日高升”之意，旁题“游人故里千乡客，剑舞宫中一酒仙”。

清康熙 青花“后赤壁赋”图笔筒

估　价：RMB 80，000-120，000

成交价：RMB 264,000

尺　寸：直径 17.5 cm

2005.11.04　402

“文章山斗”四字二行楷书款，康熙时期。瓷质笔筒，腰部略收，脐状底，浅圈足。通体以青花装饰，一侧绘文人乘舟游赤壁图，一侧书“后赤壁赋”，青花青翠，绘画精细，书写工整，微伤。诗画结合，颇有意境。

清康熙 青花人物图小缸
估　价：RMB 30，000-50，000
成交价：RMB 198,000
尺　寸：直径 20 cm
2005.11.04　403

“大明成化年制”六字二行楷书款，康熙时期。唇口，鼓腹，圈足，器形敦厚。胎质坚硬，釉色洁白细润，通景绘人物故事图，构图严谨，人物绘画流畅，场景丰富，色彩淡雅。底落“大明成化年制”款。

清康熙　青花山水人物图笔筒
估　价：RMB 180，000-220，000
尺　寸：直径 22 cm
2005.11.04　404

直筒形大笔筒，胎体厚重，器形状硕。内施白釉，外壁以青花通景绘山水图，茅屋村舍，山石树木，渔人泛舟，江边景致幽雅怡然。

清康熙 青花诗文笔筒
估　价：RMB 40,000-60,0000
成交价：RMB 55,000
尺　寸：**直径** 18.9 cm
2005.11.04　405

直壁形笔筒，口底相若，玉璧底，底心略向里突起。内外施白釉，外壁通景书诗文一周，字体流畅，青花淡雅。

清康熙 青花花鸟纹盖罐
估 价：RMB 40，000-60，000
成交价：RMB 143,000
尺 寸：高 28 cm
2005.11.04 406

“大明嘉靖年制”六字二行楷书款，康熙时期。短颈，鼓腹，圈足，因其形似莲子，又称“莲子罐”，配有方钮拱形盖。器形饱满，胎体厚重。盖绘花卉图案、罐颈部绘缠枝莲纹，罐身通景绘青花花鸟图，绘画流畅，青花色泽青翠。底落“大明嘉靖年制”寄托款。底有窑缝。

清康熙 青花博古图笔筒
估 价：RMB 25，000-35，000
成交价：RMB 55,000
尺 寸：高 13.8 cm
2005.11.04 407

敞口，直筒身，圈足。外壁周身以青花绘古琴、宝鼎、笔筒、花瓶等博古图，布局疏密得当，纹饰绘画流畅，青花发色青翠，寓意典雅。

清康熙 青花缠枝莲纹大碗
估　价：RMB 300,000-500,000
尺　寸：直径 42 cm
2005.11.04　408

“大清康熙年制”六字二行楷书款，康熙本朝。敞口大碗，胎体厚重，碗形周正。碗心及外壁均以青花绘缠枝莲纹，绘画写意流畅，底落“大清康熙年制”青花款。据《钦定满洲祭神祭天典礼》卷六记载，此青花纹样的大碗，应是宫廷殿宇内祭祀的礼器（如北京故宫尚锡神亭），是祭神祭天的陈设用器。口沿小爆釉。

清康熙 青花庭院人物图葫芦瓶
估 价：RMB 60,000-80,000
成交价：RMB 77,000
尺 寸：高 26 cm
2005.11.04 409

小口，束腰，葫芦形瓶，瓶体秀巧。上部绘青花五子套冠图，五个小童笑逐颜开，嬉戏玩耍。下部绘青花人物故事图，人物绘画生动传神，配以景物家具，构图丰满，青花发色标准。底部树叶形花押款。

清康熙 青花山水图大笔海
估　价：RMB 250，000-350，000
尺　寸：直径 33.8 cm
2005.11.04　410

笔海形制周正，胎体厚重。内外施白釉，外壁青花通景绘山水人物图，山水相间，亭台楼阁，小桥庭院，渔人泛舟。人物绘画生动，布局疏密有致。如此硕大的笔海，保存完好，十分少见。

清雍正 青花缠枝花纹小碗
估 价：RMB 38，000-58，000
成交价：RMB 63,800
尺 寸：**直径** 7.2 cm
2005.11.04 411

“大清雍正年制”六字二行楷书款，雍正本朝。敞口小碗，胎体轻薄，白釉微微泛青。内壁绘五组青花缠枝花卉，外壁绘青花缠枝宝相花，青花发色淡雅，笔触纤细流畅。底部落：“大清雍正年制”青花款。

清雍正 青花山水图小笔筒
估 价：RMB 15，000-25，000
成交价：RMB 16,500
尺 寸：**高** 12 cm
2005.11.04 412

笔筒外壁通景绘青花山水人物图，岸边渔人，茅舍小舟，山石林立。青花发色纯正，绘画写意自然。

清雍正 青花花卉纹小罐一对
估 价：RMB 150,000-200,000 (2)
尺 寸：高 7.4 cm
2005.11.04 413

“大清雍正年制”六字二行楷书款，雍正本朝。唇口，筒式腹，圈足。通体以青花装饰，肩上绘缠枝莲纹，近足处绘海水纹，腹部为什锦花卉纹。底部落“大清雍正年制”款。造型、纹饰及青花发色均仿明宣德式样，图案繁密，绘画精细，成对保存，较为难得。配红木座。

清雍正 青花缠枝莲纹长颈瓶

估 价：RMB 800，000-1，200，000

成交价：RMB 4,290,000

尺 寸：高 27 cm

2005.11.04 414

“大清雍正年制”六字二行楷书款，雍正本朝。盘口，细长颈，颈部突起两道弦纹，丰肩，圆腹，腹下渐收，圈足外撇，器形优美端庄。自上而下绘青花海水纹、蕉叶纹、花卉纹、如意云头、缠枝花卉、莲瓣纹、回纹等十层纹饰，纹饰间以青花弦纹相隔。绘画精湛，层次丰富，青花典雅。底部落“大清雍正年制”青花官窑款。此件青花缠枝莲纹长颈瓶，白釉滋润肥厚，青花发色浓艳，为仿明代永宣青花的风格，韵味独具，堪称雍正时期仿永宣青花瓷的精品。查找有关资料与此器形相近的三件瓷器，分别是北京故宫博物院收藏的雍正仿哥釉三羊瓶，香港张宗宪先生曾经收藏的雍正窑变釉弦纹长颈瓶、雍正青花苍龙子波涛纹长颈瓶，这三件藏品在造型上如出一辙，应为雍正一朝特制的御用瓷器。

参阅：《故宫博物院藏文物珍品大系·颜色釉》第248页，图226；《张宗宪珍藏》图512、513。

清雍正 青花花鸟纹双耳扁壶
估　价：RMB 1,500,000-2,500,000
成交价：RMB 3,300,000
尺　寸：高 23 cm
2005.11.04　415

直颈，颈、肩处饰如意双耳，扁圆形腹，秀美端庄。胎体细腻，釉面莹润，通体以青花装饰，颈部绘青花翠竹，肩部及胫部绘变形花卉，腹部两面绘喜鹊登梅图，一面喜鹊相望，一面喜鹊低头俯视，绘画生动，寓意吉祥，青花淡雅略有晕散。此件扁瓶无论在器形、纹饰风格上均为仿明永乐式样，是雍正仿永乐青花瓷器的佳作。底小伤。

清乾隆 青花缠枝莲福寿纹抱月瓶
估　价：RMB 300，000-500，000
成交价：RMB 1,188,000
尺　寸：高 50 cm
2005.11.04　416

唇口，直颈，颈饰变形双螭耳，扁圆形瓶体，两面中间部位突起一圆脐，长方形圈足微外撇，器形稳重而不失秀美。整体以青花装饰，颈部绘两只蝙蝠和海水江崖纹，瓶体绘青花缠枝莲花，脐部绘三只蝙蝠环绕一团“寿”字，与颈部两只蝙蝠组成“五蝠捧寿”五蝠寓意“五福”即富、寿、康宁、攸好德、考终命。青花浓艳，绘画流畅，寓意吉祥，工艺精湛。底部磨款，足小伤。

清乾隆 青花海水龙纹小缸
估 价：RMB 400，000-600，000
尺 寸：直径 21 cm
2005.11.04 417

“大清乾隆年制”六字三行篆书款，乾隆本朝。唇口，鼓腹渐收，玉璧形底，器形敦实。内壁施白釉，外壁绘青花海水赶珠龙纹，青花色泽浓艳。底部“大清乾隆年制”青花篆书款。是乾隆年间官窑的传统品种。参阅：《清代瓷器赏鉴》第 156 页，图 199。

清乾隆 青花缠枝莲纹赏瓶

估 价：RMB 300,000-500,000

尺 寸：高 37.8 cm

2005.11.04 418

“大清乾隆年制”六字三行篆书款，乾隆本朝。撇口，长颈，腹部浑圆，圈足微撇，秀美挺拔。通体以青花装饰，腹部主体纹饰绘缠枝莲纹，瓶口至足部分别绘海水、如意云头、蕉叶、回纹、莲瓣、卷草等纹饰，底部落“大清乾隆年制”六字青花篆书款，是乾隆官窑青花赏瓶的标准器。

清乾隆 青花缠枝花卉纹抱月瓶
估 价：RMB 80,000-120,000
成交价：RMB 209,000
尺 寸：直径 50 cm
2005.11.04 419

唇口，直颈，颈饰双耳，扁圆形瓶体，中心突起一圆脐，长方形圈足，造形端庄。颈、足部绘花卉，腹部主体绘青花缠枝莲纹，突起脐部饰团形螭龙，绘画流畅自然，为乾隆时期民窑青花的标准器。

清乾隆 青花云龙纹大尊

估 价：RMB 350,000-550,000

成交价：RMB 385,000

尺 寸：高 63 cm

2005.11.04 420

洗口，直颈，腹部丰满，圈足微撇，器形壮硕。颈部绘青花云蝠纹，腹部主体纹饰为青花云龙纹，口沿、肩部及胫部等绘如意云头纹、几何纹、莲瓣纹等多层边饰，纹饰丰满，青花纯正。肩部及近足处突起两道弦纹，使整体虽高大壮硕却又不失秀丽，是乾隆时期民窑青花瓷器中的上品。

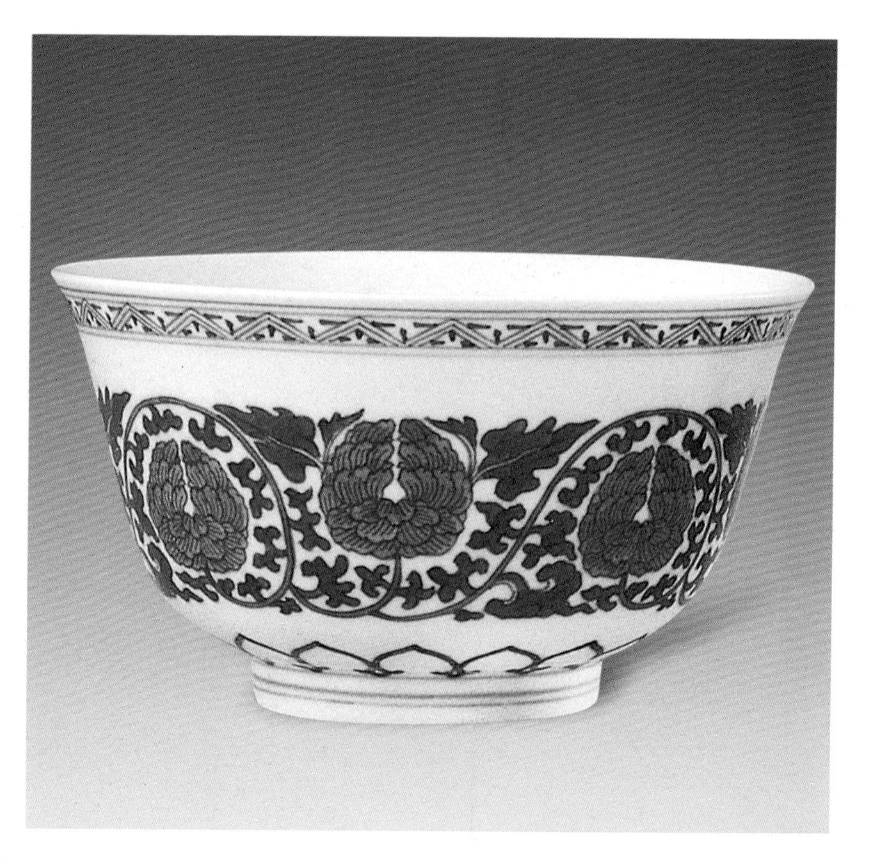

清道光 青花缠枝花纹碗一对

估　价: RMB 60,000-80,000 (2)

成交价：RMB 66,000

尺　寸：**直径** 16.5 cm

2005.11.04　421

"大清道光年制"六字三行篆书款，道光本朝。敞口，深腹，圈足。内施白釉，外壁以青花装饰，口沿及胫部分别以几何纹和莲瓣纹描绘，腹部绘青花缠枝花纹一周。青花发色淡雅，成对保存完好。

清道光 青花缠枝莲纹盘一对
估　价：RMB 12,000-20,000 (2)
成交价：RMB 69,300
尺　寸：**直径** 15 cm
2005.11.04　422

“大清道光年制”六字三行篆书款，道光本朝。敞口小盘，盘形周正。内外绘青花缠枝莲花纹，青花发色淡雅，绘画流畅，是清代官窑传统品种。

清道光 青花松竹梅纹洗
估　价：RMB 50，000-70，000
成交价：RMB 286,000
尺　寸：**直径** 26 cm
2005.11.4　423

“大清道光年制”六字三行篆书款，道光本朝。水洗椭圆形，形制新颖。内壁素白，外壁青花绘松竹梅岁寒三友图，松、竹经冬不凋，梅则耐寒开花，故古人常以此象征文人清高孤傲的气节，整体构图得当，绘画流畅自然。

清道光 青花寿字纹盘
估　价：RMB 18，000-28，000
成交价：RMB 19,800
尺　寸：**直径** 15.5cm
2005.11.4　424

“大清道光年制”六字三行篆书款，道光本朝。弧腹圈足，盘形规整。内外以青花装饰，均绘变形寿字纹，色泽纯正。此品种自雍正朝以来，历代均有烧造，是传统官窑器。

清同治 青花花卉纹花盆一对

估　价：RMB 80,000-120,000 (4)

尺　寸：直径 10.5 cm

2005.11.4　425

“体和殿制”四字二行篆书款，同治本朝。套盆由花盆及盆奁组成，花盆底部留有两孔。花盆以青花绘菊花图，盆奁绘梅花图，青花淡雅，绘画细腻，寓意高雅。花盆及盆奁的底部分别落有“体和殿制”篆书款，体和殿为同治时期慈禧太后饮食休息的场所，所陈设瓷器多为特制，这对套盆应是同时期的产品。

参阅：《故宫博物院藏文物珍品大系 · 青花釉里红(下)》第 170 页，图 156。

清康熙 五彩人物笔筒
估 价：RMB 60,000-80,000
成交价：RMB 66,000
尺 寸：直径 4.2 cm
2005.5.15 1961

直筒形笔筒，形制规整。外壁绘两组五彩人物图，一面长方形开光内绘教子图，一面绘高士抚琴闲暇图。人物绘画细腻，色彩丰富，是康熙时期五彩笔筒的典型器。